Einaudi Tascabili. Letteratura
34

*La casa in collina* fu scritto da Cesare Pavese (Santo Stefano Belbo, Cuneo, 1908 - Torino, 1950) tra l'11 settembre 1947 e il 4 febbraio 1948 e pubblicato alla fine di quello stesso anno, insieme con *Il carcere*, sotto il titolo comune *Prima che il gallo canti*. Ripresenta il personaggio e la situazione del racconto lungo *La famiglia*, scritto nel 1941. Il protagonista, il professor Corrado, risultandogli la vita a Torino rischiosa, fugge la minaccia dei bombardamenti tornando nella campagna vicina alla città e sprofondando nel mito stesso della sua memoria. Tra gli sfollati ritrova una donna con cui aveva avuto una breve relazione e che ora ha un figlio, Dino, un diminutivo di Corrado, cosa che l'omonimo professore impiega molto tempo a capire. Crede di poter riconoscere quel bambino come suo figlio, lo vuole fermamente. Ma la donna si ribella a qualsiasi accomodamento, mentre lui non sogna che di radicarsi di nuovo nel passato. Non reagisce come tanti altri che conosce, non lotta per cambiare l'incubo della realtà. Procede a ritroso.

Ma l'aver condiviso le idee di amici che ora sono in prima fila come partigiani gli attira addosso l'attenzione dei fascisti. E, allora, dalla campagna vicina alla città il professor Corrado passa alla campagna piú lontana, alle Langhe della sua infanzia (e dell'infanzia di Pavese), nel cuore del mito e dell'irrazionalità. Dovrebbe, insomma, perdersi definitivamente nella fuga dal duro presente e dall'inimmaginabile futuro, e, invece, nella via crucis che compie nella sua terra sconvolta dall'offesa della guerra civile, il professor Corrado, sempre meno professore, scopre che quanto avviene, non avviene solo per gli altri, ma anche e soprattutto per lui.

«Ora che ho visto cos'è guerra civile, so che tutti, se un giorno finisse, dovrebbero chiedersi: "E dei caduti che facciamo? perché sono morti?" Io non saprei cosa rispondere. Non adesso almeno. Né mi pare che gli altri lo sappiano. Forse lo sanno unicamente i morti, e soltanto per loro la guerra è finita davvero». La grande intuizione delle ultime pagine de *La casa in collina* sarà ripresa e portata alle estreme conseguenze artistiche e morali nel capolavoro di Cesare Pavese *La luna e i falò*. Ne *Il mestiere di vivere* troviamo un'annotazione illuminante in data 17 novembre 1949:

«9 novembre finito *La luna e i falò*.

Dal 18 settembre sono meno di due mesi. Quasi sempre un capitolo al giorno. È certo l'exploit piú forte sinora...

Hai concluso il ciclo storico del tuo tempo: *Carcere* (antifascismo confinario), *Compagno* (antifascismo clandestino), *Casa in collina* (resistenza), *Luna e falò* (postresistenza).

Fatti laterali: guerra 15-18, guerra di Spagna, guerra di Libia. La saga è completa. Due giovani (*Carcere* e *Compagno*). Due quarantenni (*Casa in collina* e *Luna e falò*). Due popolani (*Compagno* e *Luna e falò*), due intellettuali (*Carcere* e *Casa in collina*)...»

Cesare Pavese
La casa in collina

Einaudi

Copyright 1948 e © 1990 Giulio Einaudi editore s.p.a., Torino

Prima edizione «Supercoralli» 1948

www.einaudi.it

ISBN 88-06-11829-3

La casa in collina

Già in altri tempi si diceva la collina come avremmo detto il mare o la boscaglia. Ci tornavo la sera, dalla città che si oscurava, e per me non era un luogo tra gli altri, ma un aspetto delle cose, un modo di vivere. Per esempio, non vedevo differenza tra quelle colline e queste antiche dove giocai bambino e adesso vivo: sempre un terreno accidentato e serpeggiante, coltivato e selvatico, sempre strade, cascine e burroni. Ci salivo la sera come se anch'io fuggissi il soprassalto notturno degli allarmi, e le strade formicolavano di gente, povera gente che sfollava a dormire magari nei prati, portandosi il materasso sulla bicicletta o sulle spalle, vociando e discutendo, indocile, credula e divertita.

Si prendeva la salita, e ciascuno parlava della città condannata, della notte e dei terrori imminenti. Io che vivevo da tempo lassú, li vedevo a poco a poco svoltare e diradarsi, e veniva il momento che salivo ormai solo, tra le siepi e il muretto. Allora camminavo tendendo l'orecchio, levando gli occhi agli alberi familiari, fiutando le cose e la terra. Non avevo tristezze, sapevo che nella notte la città poteva andare tutta in fiamme e la gente morire. I burroni, le ville e i sentieri si sarebbero svegliati al mattino calmi e uguali. Dalla finestra sul frutteto avrei ancora veduto il mattino. Avrei dormito dentro un letto, questo sí. Gli sfollati dei prati e dei boschi sarebbero ridiscesi in città come me, solamente piú sfiancati e intirizziti di me. Era estate, e ricordavo altre sere quando vivevo e abitavo in città, sere che anch'io ero disceso a notte alta cantando o ridendo, e mille luci punteggiavano la collina e la città in fondo alla strada. La città era come un lago di luce. Allora la notte si passava in città. Non si sapeva ch'era un tempo cosí breve. Si prodigavano amicizia e giornate negli incontri piú futili. Si viveva, o cosí si credeva, con gli altri e per gli altri.

Devo dire – cominciando questa storia di una lunga illusione – che la colpa di quel che mi accadde non va data alla guerra. Anzi la guerra, ne sono certo, potrebbe ancora salvarmi. Quando venne la guerra, io da un pezzo vivevo nella villa lassú dove affittavo quelle stanze, ma se non fosse che il lavoro mi tratteneva a Torino, sarei già allora tornato nella casa dei miei vecchi, tra queste altre colline. La guerra mi tolse soltanto l'estremo scrupolo di starmene solo, di mangiarmi da solo gli anni e il cuore, e un bel giorno mi accorsi che Belbo, il grosso cane, era l'ultimo confidente sincero che mi restava. Con la guerra divenne legittimo chiudersi in sé, vivere alla giornata, non rimpiangere piú le occasioni perdute. Ma si direbbe che la guerra io l'attendessi da tempo e ci contassi, una guerra cosí insolita e vasta che, con poca fatica, si poteva accucciarsi e lasciarla infuriare, sul cielo delle città, rincasando in collina. Adesso accadevano cose che il semplice vivere senza lagnarsi, senza quasi parlarne, mi pareva un contegno. Quella specie di sordo rancore in cui s'era conchiusa la mia gioventú, trovò con la guerra una tana e un orizzonte.

Di nuovo stasera salivo la collina; imbruniva, e di là dal muretto sporgevano le creste. Belbo, accucciato sul sentiero, mi aspettava al posto solito, e nel buio lo sentivo uggiolare. Tremava e raspava. Poi mi corse addosso saltando per toccarmi la faccia, e lo calmai, gli dissi parole, fin che ricadde e corse avanti e si fermò a fiutare un tronco, felice. Quando s'accorse che invece di entrare sul sentiero proseguivo verso il bosco, fece un salto di gioia e si cacciò tra le piante. È bello girare la collina insieme al cane: mentre si cammina, lui fiuta e riconosce per noi le radici, le tane, le forre, le viti nascoste, e moltiplica in noi il piacere delle scoperte. Fin da ragazzo, mi pareva che andando per i boschi senza un cane avrei perduto troppa parte della vita e dell'occulto della terra.

Non volevo rientrare alla villa prima che fosse sera avanzata, giacché sapevo che le padrone mie e di Belbo mi attendevano al solito per farmi discorrere, per farsi pagare le cure che avevano di me e la cena fredda e l'affabilità, con le tortuose e sbrigative opinioni sulla guerra e sul mondo che serbavo per il prossimo. Qualche volta un nuovo caso della guerra, una minaccia, una notte di bombe e di fiamme, dava alle due donne argomento per affrontarmi sulla porta, nel frutteto, intorno al tavolo, e cianciare stupirsi esclamare, tirarmi alla luce, sapere chi ero, indovinarmi uno di loro. A me piaceva cenar solo, nella stanza oscurata, solo e dimenticato, tendendo l'orecchio, ascoltando la notte, sentendo il tempo passare. Quando nel buio sulla città lontana muggiva un allarme, il mio primo sussulto era di dispetto per la solitudine che se ne andava, e le paure, il trambusto che arrivava fin lassú, le due donne che spegnevano le lampade già smorzate, l'ansiosa speranza di qualcosa di grosso. Si usciva tutti nel frutteto.

Delle due preferivo la vecchia, la madre, che nella mole e negli acciacchi portava qualcosa di calmo, di terrestre, e si poteva immaginarla sotto le bombe come appunto apparirebbe una collina oscurata. Non parlava gran che, ma sapeva ascoltare. L'altra, la figlia, una zitella quarantenne, era accollata, ossuta, e si chiamava Elvira. Viveva agitata dal timore che la guerra arrivasse lassú. M'accorsi che pensava a me con ansia, e me lo disse: pativa quand'ero in città, e una volta che la madre la canzonò in mia presenza, Elvira rispose che, se le bombe distruggevano un altro po' di Torino, avrei dovuto star con loro giorno e notte.

Belbo correva avanti e indietro sul sentiero e m'invitava a cacciarmi nel bosco. Ma quella sera preferii soffermarmi su una svolta della salita sgombra di piante, di dove si dominava la gran valle e le coste. Cosí mi piaceva la grossa collina, serpeggiante di schiene e di coste, nel buio. In passato era uguale, ma tanti lumi la punteggiavano, una vita tranquilla, uomini nelle case, riposo e allegrie. Anche adesso qualche volta si sentivano voci scoppiare, ridere in lontananza, ma il gran buio pesava, copriva ogni cosa, e la terra era tornata selvatica, sola, come l'avevo conosciuta da ragazzo. Dietro ai coltivi e alle strade, dietro le case umane, sotto i piedi, l'antico indifferente cuore della terra covava nel buio, viveva in burroni, in radici, in cose occulte, in paure d'infanzia. Cominciavo a quei tempi a compiacermi in ricordi d'infanzia. Si direbbe che sotto ai rancori e alle incertezze, sotto alla voglia di star solo, mi scoprivo ragazzo per avere un compagno, un collega, un figliolo. Rivedevo questo paese dov'ero vissuto. Eravamo noi soli, il ragazzo e me stesso. Rivivevo le scoperte selvatiche d'allora. Soffrivo sí ma col piglio scontroso di chi non riconosce né ama il prossimo. E discorrevo discorrevo, mi tenevo compagnia. Eravamo noi due soli.

Di nuovo quella sera saliva dalla costa un brusio di voci,

frammisto di canti. Veniva dall'altro versante, dove non ero mai disceso, e pareva un richiamo d'altri tempi, una voce di gioventú. Mi ricordò per un momento le comitive di fuggiaschi che la sera, come gitanti, brulicavano sui margini della collina. Ma non si spostava, usciva sempre dallo stesso luogo. Era strano pensare che sotto il buio minaccioso, davanti alla città ammutolita, un gruppo, una famiglia, della gente qualunque, ingannassero l'attesa cantando e ridendo. Non pensavo nemmeno che ci volesse coraggio. Era giugno, la notte era bella sotto il cielo, bastava abbandonarsi; ma, per me, ero contento di non avere nei miei giorni un vero affetto né un impaccio, di essere solo, non legato con nessuno. Adesso mi pareva di aver sempre saputo che si sarebbe giunti a quella specie di risacca tra collina e città, a quell'angoscia perpetua che limitava ogni progetto all'indomani, al risveglio, e quasi quasi l'avrei detto, se qualcuno avesse potuto ascoltarmi. Ma soltanto un cuore amico avrebbe potuto ascoltarmi.

Belbo, piantato sul ciglione, latrava contro le voci. Lo strinsi per il collare, lo feci tacere, e ascoltai meglio. Tra le voci avvinazzate ce n'erano di limpide, e perfino una di donna. Poi risero, si scompigliarono, e salí una voce isolata di uomo, bellissima.

Stavo già per tornare sui miei passi, quando dissi a me stesso: «Sei scemo. Le due vecchie ti aspettano. Lascia che aspettino».

Nel buio cercavo d'indovinare il sito preciso dei cantori. Dissi: «Magari sono gente che conosci». Presi Belbo e gli feci segno verso l'altro versante. Mormorai sottovoce una frase del canto e gli dissi: – Andiamo là –. Lui sparí con un balzo.

Allora, lasciandomi guidare dalle voci, m'incamminai per il sentiero.

## II.

Quando sbucai sulla strada e ascoltavo guardando nel buio, di là dalla cresta, quasi sommerso nelle voci dei grilli, suonava l'allarme. Sentii, come ci fossi, la città raggelarsi, il trepestio, porte sbattersi, le vie sbigottite e deserte. Qui le stelle piovevano luce. Adesso il canto era cessato nella valle. Belbo abbaiò, poco lontano. Corsi da lui. S'era cacciato in un cortile e saltava in mezzo a gente ch'era uscita da una casa. Per la porta socchiusa filtrava una luce. Qualcuno gridò: – Chiudi l'uscio, ignorante, – e risero, vociando. La porta si spense.

Conoscevano Belbo, tra loro; qualcuno nominò con buon umore le due vecchie, mi accolsero senza chiedermi chi fossi. Andavano e venivano al buio; c'era qualche bambino, e si guardava tutti in su. – Verranno? Non verranno? – dicevano. Parlavano di Torino, di guai, di case rotte. Una donna seduta in disparte mugolava tra sé.

– Credevo che qui si ballasse, – dissi a caso.

– Magari, – fece l'ombra del giovane che per primo aveva parlato con Belbo. – Ma nessuno si ricorda di portare il clarino.

– Ce l'avresti il coraggio? – disse una voce di ragazza.

– Per lui, ballerebbe, con la casa che brucia.

– Sí, sí, – disse un'altra.

– Non si può, siamo in guerra. Italiani, – qui la voce cambiò, – questa guerra l'ho fatta per voi. Ve la regalo, voi siatene degni. Non si dovrà piú né ballare, né dormire. Dovete solo fare la guerra, come me.

– Sta' zitto, Fonso, se ti sentono.

– Che vuoi farci? si canta.

E la voce intonò la canzone di prima, ma bassa, smorzata, quasi temesse di disturbare i grilli. Si unirono ragazze; due giovanotti si rincorsero nel prato. Belbo prese a latrare di furia.

– Sta' buono, – gli dissi.

Sotto le piante c'era un tavolo con un fiasco e dei bicchieri. Il padrone, un vecchiotto, versò anche per me. Era
una specie d'osteria, ma tutti piú o meno parenti, e venива-
no da Torino in comitiva.

– Fin che dura, va bene, – diceva una vecchia, – ma col
fango e la pioggia?

– Non abbiate paura, nonna, qui per voi c'è sempre un
posto.

– Adesso è niente, è quest'inverno.

– Quest'inverno la guerra è finita, – disse un ragazzino,
e scappò via.

Fonso e le ragazze cantavano, sempre a voce smorzata,
sempre pronti a raccogliere un brusio, un rombo lontani.
Anch'io, di minuto in minuto, tendevo l'orecchio sul coro
dei grilli e, quando d'un tratto la vecchia riaprí il battente
della porta, anch'io esclamai che spegnesse.

C'era in quella gente, nei giovani, nel loro scherzare, nella stessa cordialità facile della compagnia e del vino, qualcosa che conoscevo, che mi ricordava la città d'altri tempi,
altre sere, scampagnate sul Po, varietà d'osteria e di barriera, amicizie passate. E sul fresco della collina, in quel vuoto,
in quell'ansia che manteneva all'erta, ritrovavo un sapore
piú antico, contadino, remoto. Seguivo d'istinto le voci delle ragazze, delle donne, e tacevo. Alle uscite di Fonso ridevo piano, di gusto. M'ero seduto a cielo aperto, con gli
altri, sopra un trave.

Una voce mi disse: – E lei, che fa? è in villeggiatura?

Riconobbi la voce. Adesso, a pensarci, mi sembra evidente. La riconobbi, e non mi chiesi di chi fosse. Era una
voce un poco scabra, provocante, brusca. Mi parve la tipica
voce delle donne e del luogo.

Risposi scherzando che andavo a tartufi col cane. Lei mi
chiese se dove insegnavo si mangiavano i tartufi. – Chi le
ha detto che insegno? – feci sorpreso. – Si capisce, – mi disse nel buio.

C'era qualcosa di canzonatorio nella voce. O era il gioco
di parlarsi come in maschera? In un attimo feci passare i
discorsi di prima; non trovai che mi fossi tradito, e conclusi
che quelli che conoscevano le vecchie, forse sapevano di me.
Le chiesi se stava a Torino o lassú.

– Torino, – mi disse tranquilla.

Mi accorsi nell'ombra che poteva esser ben fatta. La cur-

va delle spalle e delle ginocchia era netta. Sedeva stringen-
dosi le ginocchia con le mani e abbandonava il capo all'indietro con aria beata. Cercai di scrutarla nel viso.

– Non vuole mica mangiarmi, – mi disse in faccia.

In quel momento si sentí il cessato allarme. Per un istante tutti tacquero increduli, poi scoppiò un gran baccano, e
i ragazzi saltavano, le vecchie benedicevano, gli uomini diedero mano ai bicchieri e battevano il tempo. – Per stanotte
è passata. – Verranno piú tardi. – Italiani, l'ho fatta per
voi.

Lei non s'era scomposta. Abbandonava sempre il capo
contro il muro, e quando le balbettai: – Lei è Cate. Sei Cate, – non mi dava piú risposta. Credo che avesse chiuso gli
occhi.

Mi toccò alzarmi, perché adesso rincasavano. Volli pagare per il vino ma mi dissero: « Storie ». Salutai, strinsi la
mano a Fonso e a un altro, chiamai Belbo e, per incanto, mi
trovai solo, sulla strada, a guardare la smorta facciata.

Poco piú tardi, ero rientrato nella villa. Ma intanto era
notte, notte fonda e l'Elvira aspettava, quasi sugli scalini,
con le mani in mano e le labbra cucite. Disse soltanto:
– Stasera, l'ha preso l'allarme. Si stava in pensiero –. Scossi il capo e sorridendo nel piatto mi misi a mangiare. Lei mi
girava intorno al lume, silenziosa, spariva in cucina, chiudeva gli armadi. – Fosse cosí tutte le sere, – borbottai. Non
disse nulla.

Masticando pensavo all'incontro, alla cosa accaduta. Piú
che di Cate m'importava del tempo, degli anni. Era incredibile. Otto, dieci? Mi pareva di avere riaperto una stanza,
un armadio dimenticati, e d'averci trovata dentro la vita di
un altro, una vita futile, piena di rischi. Era questo che avevo scordato. Non tanto Cate, non i poveri piaceri di un tempo. Ma il giovane che viveva quei giorni, il giovane teme-
rario che sfuggiva alle cose credendo che dovessero ancora
accadere, ch'era già uomo e si guardava sempre intorno se
la vita giungesse davvero, questo giovane mi sbalordiva.
Che cosa c'era di comune tra me e lui? Che cosa avevo fatto per lui? Quelle sere banali e focose, quei rischi casuali,
quelle speranze familiari come un letto o una finestra – tutto pareva il ricordo di un paese lontano, di una vita agitata,
che ci si chiede ripensandoci come abbiamo potuto gustarla
e tradirla cosí.

L'Elvira prese una candela e si fermò in fondo alla stan-

za. Era fuori dal cono di luce della lampada centrale e mi
disse di spegnere quando sarei salito. Capii che esitava. Vicino all'interruttore della stanza c'era quello del lampione
esterno e qualche volta mi sbagliavo e inondavo di luce il
cortile. Dissi brusco: – Tranquilla. Spegnerò quello giusto –. Lei tossí con la mano sulla gola e fece per ridere.
– Buona notte.

Ecco, mi dissi appena solo, non sei piú quel ragazzo, non
corri piú i rischi di un tempo. Questa donna vorrebbe dirti
di rincasare piú presto, vorrebbe parlare con te, ma non
osa, e magari si torce le mani, magari si stringe al cuscino e
si palpa la gola. Non promette piaceri, e lo sa bene. Ma s'illude a vederti vivere solo e spera che la tua vita sia tutta
qui dentro, nella lampada, nella camera, nelle belle tendine,
nelle lenzuola che ti ha lavato. Tu lo sai, ma non corri piú
questi rischi. Cerchi non lei, ma tutt'al piú le tue colline.

Mi venne da chiedermi se la Cate di un tempo si era il-
lusa cosí. Ott'anni fa, cos'era Cate? Una figliola beffarda e
disoccupata, magra e un poco goffa, violenta. Se usciva con
me, se veniva al cinema o nei prati con me, se mi stringeva
sottobraccio nascondendo le unghie rotte, non era detto
per questo che sperasse qualcosa. Era l'anno che io affittavo
una stanza in via Nizza, che davo le prime lezioni e mangiavo sovente in latteria. Da casa mi mandavano quattrini,
tanto poco per allora bastavo a me stesso. Non avevo nessun avvenire se non quello generico di un giovane campa-
gnolo che ha studiato e che vive in città, si guarda intorno,
e ogni mattina è un'avventura e una promessa. Vedevo molta gente in quei giorni, mi davo d'attorno e vivevo con molti. C'eran gli amici degli anni di scuola, c'era Gallo che poi
morí di una bomba in Sardegna, c'eran le donne, le sorelle
di tanti, e Martino il giocatore che sposò la cassiera, e i
chiacchieroni, gli ambiziosi che scrivevano libri, commedie,
poesie, se le portavano in tasca e ne parlavano al caffè. Con
Gallo andavamo a ballare, andavamo in collina – era anche
lui dei miei paesi –, parlavamo di aprire una scuola rurale,
lui avrebbe insegnato l'agraria e io le scienze, avremmo preso delle terre, messo su dei vivai, rinnovata la campagna.
Non so come Cate capitasse tra noi; stava in barriera, sul-
l'orlo dei prati che portano a Po. Gallo aveva combriccole
diverse dalle nostre; giocava al biliardo in fondo a via Nizza; una volta che andammo in barca, passò a chiamare Cate
in un cortile. Ci andai poi da solo con lei nell'estate.

Con Cate lasciavamo la barca tirata a riva, scendevamo sull'erba, e giocavamo a fare la lotta tra i cespugli. Molte donne m'intimidivano ma non Cate. Con lei si poteva facilmente imbronciarsi, senza perdere l'iniziativa. Era un po' come all'osteria quando si è chiesto da bere: non si aspetta un gran vino, ma si sa che verrà. Cate sedeva e si lasciava carezzare. Poi le prendeva il batticuore che qualcuno ci vedesse. Tra noi le parole non erano molte, e ciò mi dava coraggio. Non occorreva che parlassi o promettessi. – Cosa c'è di diverso, – le dicevo, – tra fare la lotta e abbracciarsi? – Cosí ci prendemmo sull'erba, una volta, due volte, malamente. Venne il giorno che già sul tram ci dicevamo che andavamo a far l'amore. Un mattino che ci colse un temporale appena giunti, rimpiangemmo, remando di furia, l'occasione perduta.

Una sera Cate salí le scale di casa mia per fumare una sigaretta tranquilli, e stavolta facemmo l'amore con piú gusto sul letto e lei diceva com'è bello, quando piove o fa freddo, venirsi a trovare e stare insieme a discorrere e sfogarsi. Toccò i miei libri e li fiutò per gioco, e mi chiese se davvero potevo servirmi della stanza giorno e notte senza che nessuno venisse a darmi noia. Lei viveva coi suoi, sei o sette, in due stanze su un cortile. Ma quella fu l'unica sera che venne a trovarmi. Capitava invece nel caffè dove io vedevo gli amici, ma per quanto ci fosse Gallo e la salutassimo tutti, se ne stava seduta in soggezione e aveva perso la risata. Io poi combattevo tra la soddisfazione di averci la ragazza e la vergogna del suo tipo scalcagnato e inesperto. Mi diceva che avrebbe voluto saper scrivere a macchina, servire in un grande negozio, guadagnare per andare a fare i bagni. Le comperai qualche volta un rossetto che la riempí di gioia, e fu qui che mi accorsi che si può mantenere una donna, educarla, farla vivere, ma se si sa di cos'è fatta la sua eleganza, non c'è piú gusto. Cate aveva il vestito ragnato e la borsa screpolata; commuoveva, a sentirla, tant'era il contrasto tra la sua vita e i desiderî; ma la gioia di quel rossetto mi diede ai nervi, mi chiarí che per me lei non era che sesso. Sesso sgraziato, fastidioso. E una pena, saperla tanto scontenta e ignorante. Si correggeva, a volte, ma aveva degli sciocchi entusiasmi, delle brusche resistenze e ingenuità che irritavano. L'idea di esserle legato, di doverle qualcosa, per esempio del tempo, mi pesava ogni volta. Una sera, sotto i portici della stazione, la tenevo a braccetto e volevo

che salisse nella mia stanza. Erano gli ultimi giorni d'estate
e il figliolo della mia padrona ritornava l'indomani dalla colonia; con lui per casa era impossibile ricevere una donna.
La pregai, la supplicai di venire, scherzai, feci il buffone.
– Non ti mangio, – le dissi. Non voleva saperne. – Non ti
mangio –. Quella testarda ritrosia mi scottava. Lei si teneva stretta al braccio e ripeteva:

– Andiamo a spasso.

– Poi andremo al cinema, – le dissi, ridendo. – Ho dei
soldi.

E lei imbronciata: – Non vengo con te per i soldi.

– Ma io sí, – le dissi in faccia, – vengo con te per stare
a letto –. Ci guardammo indignati, rossi in faccia tutti e
due. Sentii piú tardi la vergogna, credo che in seguito da
solo avrei pianto di rabbia, non fossero stati l'orgoglio e la
gioia che m'invasero perché adesso ero libero. Cate piangeva, le scendevano le lacrime. Mi disse piano: – Allora
vengo con te –. Arrivammo al portone senza parlare; lei mi
stringeva e si appoggiava alla spalla con tutto il suo peso.
Al portone mi fece fermare. Si dibatteva, disse: – No, che
non ti credo, – mi strinse il braccio come una morsa, e
scappò.

Da quella sera non la vidi piú. Non pensai molto al nostro caso perché credevo ritornasse. Ma quando capii che
non sarebbe tornata, il bruciore della mia villania s'era ormai spento, Gallo e gli amici eran di nuovo il mio orizzonte,
e in sostanza mi godevo già quel piacere di rancore saziato,
di occasione felicemente perduta, ch'è poi divenuto per me
un'abitudine. Nemmeno Gallo me ne parlò piú, non ebbe
il tempo di farlo. Andò ufficiale nella guerra d'Africa e non
lo vidi per un pezzo. Quell'inverno scordai la sua agraria e
la scuola rurale, divenni tutto cittadino e capii che la vita
era davvero bella. Frequentai molte case, parlavo di politica, conobbi altri rischi e piaceri e ne uscii sempre. Comin-
ciai qualche lavoro scientifico. Vidi gente e conobbi colle-
ghe. Per qualche mese studiai molto e mi fingevo un avvenire. Quell'ombra di dubbio nell'aria, quella febbre di tutti, la minaccia, la guerra vicina, rendevano piú vive le giornate e piú futili i rischi. Ci si poteva abbandonare e poi riprendere; nulla accadeva e tutto aveva sapore. Domani,
chi sa.

Adesso le cose accadevano e c'era la guerra. Ci pensai nella notte, seduto nel cono della luce, e le mie vecchie dormi-

vano, composte, patetiche e in pace. Che importano gli allarmi in collina, quando tutti sono rientrati e non trapelano fessure? Anche Cate dormiva, nella casa in mezzo ai boschi. Pensava ancora alla mia antica villania? Io ci pensavo come fosse ieri, e non ero scontento che il nostro incontro fosse stato cosí breve e cosí buio.

Per qualche giorno ci pensai, lavorando a Torino, camminando, rientrando la sera, discorrendo con Belbo. Una notte ero in frutteto, e suonò un altro allarme. L'antiaerea cominciò subito a sparare. Ci ritirammo nella stanza che tremava dai colpi. Fuori le schegge morte sibilavano tra gli alberi. L'Elvira tremava; la vecchia taceva. Poi venne il rombo dei motori e dei tonfi. Continuamente la finestra s'arrossava e s'apriva abbagliante. Durò piú di un'ora, e quando uscimmo sotto gli ultimi spari isolati tutta la valle di Torino era in fiamme.

## III.

La mattina rientrai con molta gente in città mentre ancora echeggiavano in lontananza schianti e boati. Dappertutto si correva e si portavano fagotti. L'asfalto dei viali era sparso di buche, di strati di foglie, di pozze d'acqua. Pareva avesse grandinato. Nella chiara luce crepitavano rossi e impudichi gli ultimi incendi.

La scuola, come sempre, era intatta. Mi accolse il vecchio Domenico, impaziente di andarsene a vedere i disastri. C'era già stato avanti l'alba, al cessato allarme, nell'ora che tutti vanno tutti sbucano, e qualche esercente socchiude la porta e ne filtra la luce (tanto ci sono i grossi incendi) e qualcosa si beve, fa piacere ritrovarsi. Mi raccontò cos'era stata la notte nel nostro rifugio dove lui dormiva. Niente lezioni per quest'oggi, si capisce. Del resto anche i tram stavano fermi, spalancati e deserti, dove il finimondo li aveva sorpresi. Tutti i fili erano rotti. Tutti i muri imbrattati come dell'ala impazzita di un uccello di fuoco. – Brutta strada, non passa nessuno, – ripeteva Domenico. – La segretaria non si è ancora vista. Non si è visto Fellini. Non si può sapere niente.

Passò un ciclista che, pied'a terra, ci disse che Torino era tutta distrutta. – Ci sono migliaia di morti, – ci disse. – Hanno spianato la stazione, han bruciato i mercati. Hanno detto alla radio che torneranno stasera –. E scappò pedalando, senza voltarsi.

– Quello ha la lingua per parlare, – borbottò Domenico. – Non capisco Fellini. Di solito è già qui.

La nostra strada era davvero solitaria e tranquilla. Il ciuffo d'alberi del cortile del convitto incoronava l'alto muro come un giardino di provincia. Qui non giungevano nemmeno i fragori consueti, i trabalzi dei tram, le voci umane. Che quel mattino non ci fosse trepestio di ragazzi, era una cosa d'altri tempi. Pareva incredibile che, nel buio della notte, anche su quel calmo cielo tra le case avesse infuriato il finimondo. Dissi a Domenico di andarsene, se voleva, a cercare Fellini. Sarei rimasto in portieria ad aspettarli.

Passai mezza la mattina riordinando il registro di classe per gli scrutini imminenti. Facevo addizioni, scrivevo giudizi. Di tanto in tanto alzavo il capo al corridoio, alle aule vuote. Pensavo alle donne che compongono un morto, lo lavano e lo vestono. Fra un istante il cielo poteva di nuovo muggire, incendiarsi, e della scuola non restare che una buca cavernosa. Solamente la vita, la nuda vita contava. Registri, scuole e cadaveri erano cose già scontate.

Borbottando nel silenzio i nomi dei ragazzi, mi sentii come una vecchia che borbotta preghiere. Sorridevo tra me. Rivedevo le facce. Ne erano morti stanotte? La loro allegria l'indomani di un bombardamento – la vacanza prevista, la novità, il disordine – somigliava al mio piacere di sfuggire ogni sera agli allarmi, di ritrovarmi nella stanza fresca, di stendermi nel letto al sicuro. Potevo sorridere della loro incoscienza? Tutti avevamo un'incoscienza in questa guerra, per tutti noi questi casi paurosi si erano fatti banali, quotidiani, spiacevoli. Chi poi li prendeva sul serio e diceva – È la guerra, – costui era peggio, era un illuso o un minorato.

Eppure, stanotte qualcuno era morto. Se non migliaia, magari decine. Bastavano. Pensavo alla gente che restava in città. Pensavo a Cate. Mi ero fitto in testa che lei non salisse lassú tutte le sere. Qualcosa in questo senso mi pareva di aver sentito nel cortile, e infatti da quella volta dell'allarme non avevano piú cantato. Mi chiesi se avessi qualcosa da dirle, se da lei temessi qualcosa. Mi pareva soltanto di rimpiangere quel buio, quell'aria di casa e di bosco, le voci giovani, la novità. Chi sa che Cate quella notte non avesse cantato con gli altri. Se nulla è successo, pensai, stasera tornano lassú.

Suonò il telefono. Era il padre di un ragazzo. Voleva sapere se davvero non c'era lezione. Che disastro stanotte. Se i professori e il signor preside erano tutti sani e salvi. Se suo figlio studiava la fisica. Si capisce, la guerra è la guerra. Che avessi pazienza. Bisognava comprendere e aiutare le famiglie. Tanti ossequi e scusassi.

Da questo momento il telefono non ebbe piú pace. Telefonarono ragazzi, telefonarono colleghi e segretaria. Telefonò Fellini, da casa del diavolo. – Funziona? – disse sorpreso. Sentii la smorfia di scontento che gli mangiò mezza la faccia. – Non c'è nessuno in portieria, cosa credi? che sia festa? Vieni subito a dare una mano a Domenico –. Chiusi. Uscii fuori. Non volli rispondere piú. Dopo una notte come quella era tutto ridicolo.

Finii la mattina andando a zonzo, nel disordine e nel sole. Chi correva, chi stava a guardare. Le case sventrate fumavano. I crocicchi erano ingombri. In alto, tra i muri divelti, tappezzerie e lavandini pendevano al sole. Non sempre era facile distinguere tra le nuove le rovine vecchie. Si osservava l'effetto d'insieme e si pensava che una bomba non cade mai dov'è caduta la prima. Ciclisti avidi, sudati, mettevano il piede a terra, guardavano e poi ripartivano per altri spettacoli. Li muoveva un superstite amore del prossimo. Sui marciapiedi, dov'era avvampato un incendio, s'accumulavano bambini, materassi, suppellettili rotte. Bastava una vecchia a vuotare l'alloggio. La gente guardava. Di tanto in tanto studiavamo il cielo.

Faceva strano vedere i soldati. Quando passavano in pattuglie, con la pala e il sottogola, si capiva che andavano a sterrare rifugi, a estrarre cadaveri e vivi, e si sarebbe voluto incitarli, gridargli di correre, far presto perbacco. Non servivano ad altro, si diceva tra noi. Tanto la guerra era perduta, si sapeva. Ma i soldati marciavano adagio, aggiravano buche, si voltavano anche loro a sogguardare le case. Passava una donna belloccia e la salutavano in coro. Erano gli unici, i soldati, ad accorgersi che le donne esistevano ancora. Nella città disordinata e sempre all'erta, piú nessuno osservava le donne di un tempo, nessuno le seguiva, nemmeno vestite da estate, nemmeno se ridevano. Anche in questo la guerra, io l'avevo prevista. Per me questo rischio era cessato da un pezzo. Se avevo ancora desiderî, non avevo piú illusioni.

In un caffè dove lessi un giornale – uscivano ancora i giornali – tra gli avventori si parlava a bassa voce. Il giornale diceva che la guerra era dura, ma era una cosa tutta nostra, fatta di fede e di passione, l'estrema ricchezza che avessimo ancora. Era successo che le bombe eran cadute anche su Roma, distruggendo una chiesa e violando delle tombe. Questo fatto impegnava anche i morti, era l'ultimo di una serie sanguinosa che aveva indignato tutto il mondo civile. Bisognava aver fede in quell'ultimo insulto. Si era a un

punto che le cose non potevano andar peggio. Il nemico
perdeva la testa.

Un avventore che conoscevo, uomo grasso e gioviale, disse che in fondo questa guerra era già vinta. – Mi guardo intorno, e cosa vedo? – vociava. – Treni pieni, commercio al-
l'ingrosso, mercato nero e quattrini. Gli alberghi lavorano, le ditte lavorano, dappertutto si lavora e si spende. C'è
qualcuno che cede, che parla di mollare? Per quattro case
fracassate, una miseria. Del resto, il governo le paga. Se in
tre anni di guerra siamo arrivati a questo punto, c'è da sperare che la duri un altro poco. Tanto, a morire nel letto siamo tutti capaci.

– Quel che succede non è colpa del governo, – disse un
altro. – C'è da chiedersi dove saremmo con un altro governo.

Me ne andai perché sapevo queste cose. Fuori finiva un
grosso incendio che aveva danneggiato un palazzo sul viale.
Dei facchini portavano fuori i lampadari e le poltrone. Sotto il sole, alla rinfusa, avevano ammucchiato mobilio, tavolini con specchi, grosse casse. Quelle cose eleganti facevano
pensare a una bella vetrina. Mi vennero in mente le case di
un tempo, le sere, i discorsi, i miei furori. Gallo era in Africa da un pezzo, io lavoravo all'Istituto. Fu l'anno che cre-
detti nella scienza come vita cittadina, nella scienza accade-
mica con laboratori e congressi e cattedre. L'anno dei rischi
grossi. Quando conobbi Anna Maria e la volli sposare. Sarei diventato assistente del padre. Avrei fatto dei viaggi. In
casa sua si trovavano poltrone e cuscini, si parlava di teatro
e di montagna. Anna Maria seppe prendermi dal lato contadino, disse ch'io ero diverso dagli altri, celebrò il mio progetto di scuole rurali. Solamente, parlando di Gallo, lo trattava di bestione antipatico. Con Anna Maria imparai a parlare, a non dir troppo, a mandar fiori. Tutto l'inverno u-
scimmo insieme, e in montagna una notte mi chiamò nella
sua camera. Da quel momento mi ebbe in pugno e, senza darmi confidenza, pretese da me un abbandono servile.
Ogni giorno cambiava capriccio e mi scherniva per la mia
sopportazione. Quando venivano le scene – occhiaie minacciose e stravolte – si faceva anche lei taciturna e piangeva
come una bimba. Diceva che non mi capiva e che le davo
i brividi. Per farla finita, la volli sposare. Glielo chiedevo
dappertutto, per le scale, nei balli, sotto i portoni. Lei si faceva misteriosa e sorrideva.

Durò tre anni e fui sul punto di ammazzarmi. Di uccide-
re lei non valeva la pena. Ma persi il gusto all'alta scienza,
al bel mondo, agli istituti scientifici. Mi sentii contadino.
Siccome la guerra non venne nell'anno (credevo ancora che
la guerra risolvesse qualcosa), concorsi a una cattedra e co-
minciai questa mia vita. Adesso di fiori e cuscini mi tocca
sorridere, ma i primi tempi che con Gallo ne parlai, pativo
ancora. Gallo, in divisa un'altra volta, diceva: – Sciocchezze. Tocca a tutti una volta –. Ma lui non pensava che, quel
che ci tocca, non è per caso che ci tocca. In un senso, conti-
nuavo a patire, non mica perché rimpiangessi Anna Maria,
ma perché ogni pensiero di donna conteneva per me quella
minaccia. Se mi chiudevo a poco a poco nel rancore, era perché questo rancore lo cercavo. Perché sempre l'avevo cercato, e non soltanto con lei.

Questo pensai, sul marciapiede sotto il viale, davanti al
palazzo sventrato. In fondo al viale, tra le piante, si vedeva
la gran schiena delle colline, verdi e profonde nell'estate.
Mi chiesi perché rimanevo in città e non scappavo lassú prima di sera. Di solito l'allarme veniva di notte; ma per esempio ieri a Roma era toccato a mezzogiorno. Comunque, i
primi giorni della guerra non scendevo nel rifugio; mi co-
stringevo a stare in aula a passeggiare e tremare. A quei
tempi gli attacchi facevano ridere. Adesso ch'erano cose
massicce e tremende, anche la semplice sirena sbigottiva. Se
restavo in città fino a sera, non c'era un motivo. Tutta una
classe di persone, i fortunati, i sempre-primi, andavano o se
n'erano andati nelle campagne, nelle ville sui monti o sul
mare. Là vivevano la solita vita. Toccava ai servi, ai portinai, ai miserabili, custodirgli i palazzi e, se il fuoco veniva,
salvargli la roba. Toccava ai facchini, ai soldati, ai mecca-
nici. Poi anche costoro scappavano a notte, nei boschi, nelle osterie. Dormivano poco. Ci bevevano sopra. Discutevano, dieci in un buco. Mi era rimasta la vergogna di non
essere dei loro, e avrei voluto incontrarne per i viali, discorrere. O forse godevo soltanto quel facile rischio e non
facevo proprio nulla per cambiare. Mi piaceva star solo e
immaginarmi che nessuno mi aspettava.

IV.

Quella sera rientrai sotto un'ombra di luna e chiacchie-
rai dopocena in frutteto, come piaceva alle mie vecchie. Dalla villa vicina era venuta Egle, una studentessa quindicenne
che l'Elvira proteggeva. Dicevano che le scuole dovevano
chiudersi, ch'era un delitto trattenere ancora i ragazzi in
città.

– E i professori. E i portinai, – aggiunsi io. – E i tranvieri. E le cassiere dei bar.

I miei scherzi mettevano l'Elvira a disagio. Gli occhietti
d'Egle mi frugarono.

– Quel che dice lo pensa, – mi chiese sospettosa, – o
prende in giro anche stasera?

– Tocca ai soldati far la guerra, – disse la mamma di Elvira. – Non si sono mai viste delle cose così.

– Tocca a tutti, – dissi. – A suo tempo gridavano tutti.

La luna cadeva dietro le piante. Tra poche notti era piena e avrebbe inondato cielo e terra, scoperchiato Torino,
portato altre bombe.

– Hanno detto, – disse Egle a un tratto, – che la guerra
finisce quest'anno.

– Finisce? – le dissi. – Non è ancora cominciata.

Mi fermai. Tesi l'orecchio e vidi gli occhi trasalire, l'Elvira raccogliersi, tutte tacere. – Qualcuno canta, – Egle pro-
ruppe, sollevata.

– Meno male.

– Che matti.

Lasciai Egle al cancello. Quando fui solo in mezzo alle
piante, non trovai subito la strada. Belbo seguiva una sua
pista e sbuffava tra i rovi. Andai vagamente, come si va sotto la luna, ingannato dai tronchi. Di nuovo, Torino, i rifugi, gli allarmi mi parvero cose remote, fantasie. Ma anche
l'incontro che cercavo, quelle voci nell'aria, anche Cate era

qualcosa d'irreale. Mi chiedevo che cosa avrei detto se avessi potuto parlarne, per esempio con Gallo.

Arrivai sulla strada che pensavo alla guerra, alle inutili morti. Il cortile era vuoto. Cantavano dal prato dietro la casa e, siccome Belbo era rimasto a mezza costa, nessuno s'accorse di me. Nell'ombra vaga rividi la griglia, i tavolini di pietra, la porta socchiusa. A mezz'aria, da un balcone di legno pendevano pannocchie dell'anno passato. Tutta la casa aveva un'aria abbandonata, quasi rustica.

« Se Cate esce fuori, – pensai, – tutto può dirmi, per vendicarsi ».

Fui sul punto di andarmene, tornare nei boschi. Sperai che Cate non ci fosse, che fosse rimasta a Torino. Ma un ragazzetto girò l'angolo correndo, e si fermò. Mi aveva visto.

– C'è nessuno? – gli dissi.

Mi guardava esitante. Era un bianco ragazzo, vestito alla marinara, quasi comico in quello scialbo di luna. La prima sera non l'avevo notato.

Andò alla porta e chiamò dentro. Disse – Mamma –. Uscí Cate con un piatto di bucce. In quel momento piombò Belbo di carriera, rotolandosi e schizzando nell'ombra. Il ragazzo si strinse alle gonne di Cate, impaurito.

– Scemo, – gli disse Cate, – non è niente.

– Siete ancor vivi? – dissi a Cate.

Lei s'era mossa verso la griglia per buttare le bucce. Si fermò a mezza strada. Girò la testa – era piú alta di un tempo – riconobbi il sorriso beffardo. – Prende in giro? – mi disse. – Viene apposta per prendere in giro?

– Ieri notte, – dissi. – Non vi ho sentiti cantare e credevo che fosse rimasta a Torino.

– Dino, – disse al ragazzo. Gettò le bucce e lo mandò in casa col piatto.

Quando fu sola, non rideva piú. Disse: – Perché non vai con gli altri?

– È tuo figlio? – le dissi.

Mi guardò senza aprir bocca.

– Ti sei sposata?

Scosse il capo con forza – riconobbi anche questa – e disse: – A te cosa importa?

– È un bel ragazzo, ben tenuto, – le dissi.

– Lo accompagno a Torino. Va a scuola, – disse lei, – torniamo su prima di notte.

Sotto la luna la vedevo bene. Era la stessa ma sembrava

un'altra. Parlava sicura di sé, mi parve ieri che l'avevo portata a braccetto. Era vestita di una gonna corta, da campagna.

— Tu non canti? – le dissi.

Di nuovo quel sorriso duro, di nuovo quel gesto del capo. — Sei venuto a sentirci cantare? Perché non torni al tuo
caffè?

— Sciocca, – le dissi col sorriso che una volta non avevo.
— Ancora ci pensi a quei tempi?

Le vidi la bocca sensuale d'allora, ma piú raccolta, soli-
da. Uscí di nuovo in cortile il ragazzo, e Belbo prese ad abbaiare. — Qui, Belbo, – gridai. Dino passò, corse dietro alla
casa.

— Tu non lo credi, – dissi a Cate, – ma la mia sola compagnia è questo cane.

— Non è tuo, – disse lei.

Allora le chiesi scherzando se di me sapeva proprio ogni
cosa. — Io di te non so niente, – le dissi. – Che vita hai fatto, come vivi adesso. Lo sai che Gallo è morto in Sardegna?

Cate mi disse: — Non è vero, – e restò male. Le raccontai
com'era andata, e quasi piangeva. — È questa guerra, – disse poi, – questo schifo –. Non era piú lei. Guardava a terra,
con la fronte aggrottata.

— E tu cos'hai fatto? – le dissi, – sei poi stata commessa?

Di nuovo storse la bocca e ribatté se m'importava. Eravamo di fronte. Le presi la mano. Ma non volevo che credesse ch'io giocavo sul passato. Le sfiorai appena il polso.
— Non vuoi dirmi la vita che hai fatto?

Uscí una donna vecchia e tonda dicendo: — Chi c'è? –
Cate le disse ch'ero io, la vecchia venne per discorrere; in
quel momento la luna andò sotto del tutto.

— Dino è andato con gli altri, – disse Cate.

— Perché non gli cambi la marinara, – disse la vecchia. –
Non sai che l'erba sporca il culo?

Cate disse qualcosa; io parlai della luna. C'incamminam-
mo insieme verso il prato. Avevano smesso di cantare e ridevano. Nel breve tragitto imparai che la vecchia era nonna di Cate, che quella casa era un'osteria, le Fontane, ma
con la guerra non ci passava piú nessuno. — Se questa guerra non finisce, – diceva la vecchia, – tuo nonno vende e si
va tutti sotto i ponti.

Dietro la casa erano in pochi stavolta: Fonso, un altro,
due ragazze. Mangiavano mele sotto un albero. Le staccava-

no dai rami bassi. Mangiavano e ridevano. Dino era fermo sull'orlo del prato, li guardava.

Cate andò avanti e gli parlò. Io restai con la vecchia nell'ombra della casa.

– C'era piú gente l'altra notte, – dissi. – Sono restati a Torino?

La vecchia disse: – Non tutti abbiamo l'automobile. C'è chi lavora fino a notte. I tram non vanno –. Poi mi guardò e abbassò la voce. – Chi comanda è gentaglia, – borbottò. – Gentaglia nera. Non ci pensano mica. In che mani ci hanno messo.

Salutai Fonso, a distanza. Mi aveva gridato qualcosa agitando la mano. Gridavano tra loro, tirandosi mele e correndo. Cate tornò verso di noi.

Dalla casa chiamarono. S'era aperta una porta buia e qualcuno diceva: – Fonso, è ora.

Allora tutti, le ragazze, i giovanotti, il bambino, ci corsero addosso, passarono, sparirono.

La vecchia sospirò. – Mah, – disse muovendosi. – Anche quelli. Se si mettessero d'accordo. Tanto tra loro non si mangiano. Chi va di mezzo siamo noi.

Restai solo con Cate. – Non vieni a sentire la radio? – mi disse.

Fece un passo con me, poi si fermò.

– Non sei mica fascista? – mi disse.

Era seria e rideva. Le presi la mano e sbuffai. – Lo siamo tutti, cara Cate, – dissi piano. – Se non lo fossimo, dovremmo rivoltarci, tirare le bombe, rischiare la pelle. Chi lascia fare e s'accontenta, è già un fascista.

– Non è vero, – mi disse, – si aspetta il momento. Bisogna che finisca la guerra.

Era tutta indignata. Le tenevo la mano.

– Una volta, – le dissi ridendo, – non le sapevi queste cose.

– Tu non fai niente? Cosa fanno i tuoi amici?

Allora le dissi che gli amici non li vedevo piú da un pezzo. Chi s'era sposato, chi trasferito chi sa dove. – Ti ricordi Martino? si è sposato in un bar.

Ridemmo insieme di Martino. – Succede a tutti, – continuai. – Si passano insieme dei mesi, degli anni, poi succede. Si perde un appuntamento, si cambia casa, e uno che vedevi tutti i giorni non sai nemmeno piú chi sia.

Cate mi disse ch'era colpa della guerra.

– C'è sempre stata questa guerra, – le dissi. – Tutti un bel giorno siamo soli. Non è poi cosí brutto –. Lei mi guardò di sotto in su. – Ogni tanto si ritrova qualcuno.

– E che cosa t'importa? Tu non vuoi fare niente e vuoi star solo.

– Sí, – le dissi, – mi piace stare solo.

Allora Cate mi raccontò di sé. Disse che aveva lavorato, ch'era stata operaia, cameriera in albergo, sorvegliante in colonia. Adesso andava tutti i giorni all'ospedale, a fare servizio. La vecchia casa di via Nizza era crollata e morti tutti, l'anno prima.

– Quella sera, – le dissi, – ti eri offesa, Cate?

Mi guardò con un mezzo sorriso, ambigua. Io, per puntiglio, piú che altro, dissi: – Dunque? Sei sposata, sí o no?

Scosse il capo adagio.

« C'è stato qualcuno piú villano di me », pensai subito, e dissi: – È tuo figlio il ragazzo?

– E se fosse, – lei disse.

– Ti fa vergogna?

Alzò le spalle, come un tempo. Credevo ridesse. Invece disse a voce rauca, piano: – Corrado, lasciamola lí. Non ho voglia. Posso ancora chiamarti Corrado?

In quel momento fui tranquillo. Capii che Cate non pensava a riprendermi, capii che aveva una sua vita e le bastava. Quel che avevo temuto era che facesse la violenta e l'umiliata di un tempo e volesse gridare. Le dissi: – Scema. Puoi chiamarmi come vuoi –. Mi venne Belbo sottomano e lo presi alla nuca.

In quel momento dalla casa buia uscivano tutti, chiacchierando e vociando.

v.

Finí giugno, le scuole erano chiuse, stavo in collina tutto il tempo. Ci camminavo sotto il sole, sui versanti boscosi. Dietro le Fontane, la terra era lavorata a campo e vigna, e ci andavo sovente, in certe conche riparate, a raccogliere erbe e muschi, mia antica passione di quando ragazzo studiavo scienze naturali. A ville e giardini io preferivo la campagna dissodata, e i suoi margini dove il selvatico riprende terreno. Le Fontane era il luogo piú adatto, di là cominciavano i boschi. Vidi Cate altre volte, di mattina e di sera, e non parlammo di noi; conobbi Fonso, conobbi gli altri da vicino.

Con Fonso discutevo scherzando. Era un ragazzo, non aveva diciott'anni. — In questa guerra, — gli dicevo, — andremo sotto tutti quanti. Chiameranno te a vent'anni e me a quaranta. Come stiamo in Sicilia?

Fonso faceva il fattorino in una ditta meccanica; ogni sera arrivava con madre e sorelle, e la mattina ripartiva a rompicollo in bicicletta. Era cinico, burlone, si accendeva di colpo.

— Parola, — diceva, — se mi chiamano sotto, salta in aria il distretto.

— Anche tu. Se la guerra ti brucia. Si aspetta sempre che ci bruci, per svegliarci.

— Se tutti quelli che van sotto si svegliassero, — diceva Fonso, — sarebbe già bello.

L'anno prima, alle scuole serali, Fonso aveva preso gusto alle statistiche, ai giornali, alle cose che si sanno. Doveva averci colleghi, a Torino, che gli aprivano gli occhi. Della guerra sapeva tutto; non dava mai tregua; chiedeva qualcosa e già troncava la risposta con un'altra domanda. Discuteva con foga anche di scienza, di principî.

Chiese a me, che parlavo, se fin che restavo borghese ero pronto a svegliarmi.

— Bisogna avere la mano svelta, — gli risposi, — esser piú

giovani. Cianciare non conta. L'unica strada è il terrorismo. Siamo in guerra.

Fonso diceva che non era necessario. I fascisti tremavano. Sapevano di aver perso la guerra. Non osavano piú mandar gente sotto le armi. Cercavano soltanto l'occasione di mollare, di sparire nel mucchio, di dire « Adesso fate voi ». Era come un castello di carte.

— Tu credi? Hanno tutto da perdere. Soltanto morti molleranno.

Gli altri, le donne, la nonna di Cate, ascoltavano.

— Se ti dice che sono carogne, — intervenne l'oste, — puoi crederci. Lui lo sa, lascia fare.

Sapevano tutti alle Fontane ch'ero insegnante, scienziato. Mi trattavano con molto rispetto. Perfino Cate qualche volta si prendeva soggezione.

— Questo governo, — continuava il vecchio, — non può mica durare.

— Ma è per questo che dura. Tutti dicono « È morto » e nessuno fa niente.

— Tu, che dici? che cosa faresti? — chiese Cate, seria.

Tacquero tutti, e mi guardavano.

— Ammazzare, — dissi. — Levargli la voglia. Continuare la guerra qui in casa. Tanto quelli la testa non la cambiano. Soltanto se sanno che appena si muovono scoppia una bomba, resteranno tranquilli.

Fonso ghignava e stava per interrompere.

— Tu lo faresti? — disse Cate.

— No, — risposi. — Ci sono negato.

La vecchia di Cate ci guardava coi suoi occhi offesi. — Gente, — diceva, — voi non sapete quel che costa. Non serve a nessuno caricarsi la coscienza. Moriranno anche quelli.

Allora Fonso le spiegava che cos'era la lotta di classe.

Ci andavo ormai quasi ogni sera alle Fontane e ascoltavo la radio con gli altri. Le mie due vecchie non volevano saperne di prendere Londra. — Non è permesso, — diceva l'Elvira. — Si sentirebbe dalla strada —. Si lamentava che girassi per i boschi anche di notte, nell'ora delle incursioni. Ce ne fu un'altra su Torino, spaventosa. Le due trovarono l'indomani una scheggia in frutteto, tagliente e pesante come un ferro di zappa. Mi chiamarono a vederla. Mi scongiurarono di non espormi. Allora dissi ch'era pieno d'osterie, che dappertutto si trovava ricovero.

Capitare alle Fontane in pieno giorno mi dava un senso

d'avventura. Sbucavo dal ciglione sulla strada solitaria, che
un tempo era stata asfaltata. Ero a due passi dalla cresta e
avevo intorno delle schiene boscose. Tornavano in mente le
macchine, i viandanti, i ciclisti, che ancora l'anno prima fre-
quentavano quel passo. Adesso era raro un pedone.

Mi trattenevo nel cortile a mangiar frutta o bere un sor-
so. La vecchia mi offriva il caffè, l'acqua e zucchero. Per poter pagare, comandavo del vino. A quell'ora non venivo lí
per Cate, non venivo per nessuno. Se Cate c'era, la guardavo sfaccendare, le chiedevo che cosa si diceva a Torino. In
realtà mi soffermavo soltanto per il piacere di sentirmi sul-
l'orlo dei boschi, di affacciarmi di lí a poco lassú. Nel sole di
luglio, selvatico e immobile, il tavolino familiare, i visi noti,
e quell'indugio di commiato, mi appagavano il cuore. Cate
una volta si affacciò alla finestra, disse – Sei tu – e non scese
nemmeno.

Chi non mancava mai, nel cortile o dietro casa, era Dino
suo figlio. Adesso, finite le scuole, era in mano della nonna,
che lo lasciava gironzare, gli puliva la faccia con lo straccio
e lo chiamava a far merenda. Dino non era piú un ragazzo
bianco e intontito, come quella notte. Adesso correva, tirava sassi, si rompeva le scarpe. Era magro e monello. Non so
perché, mi faceva quasi pena. Pensavo, guardandolo, all'antico scontento di Cate, al suo corpo inesperto, alla vergogna
di quei giorni. Doveva essere stato nell'anno di Anna Maria. Cate, sola e umiliata, non aveva saputo difendersi; c'era
caduta chi sa come, a qualche ballo o in un prato, con chi di-
sprezzava, un poveretto, un bellimbusto. O magari era stato un amore, un caldo amore che l'aveva trasformata. Me
l'avrebbe mai detto? Se quella sera alla stazione non ci fossimo lasciati, chi sa, questo bimbo poteva non nascere.

Dino aveva i capelli negli occhi e una maglietta rattoppa-
ta. Con me si vantò molto della scuola e dei suoi quaderni
colorati. Gli dissi che non studiavo come lui tante materie,
ma che anch'io ai miei tempi avevo fatto i disegnini. Gli
raccontai come avevo copiato pietruzze, nocciole, erbe rare.
Gliene feci qualcuna.

Quel giorno stesso mi seguí sulla collina, a raccogliere i
muschi. Scoprendo i fiori della Veronica, fu felice. Gli promisi che l'indomani avrei portato la lente e lui voleva saper
subito quanto ingrandisce.

– Questi granelli color viola, – gli spiegai, – diventano
come rose e garofani.

Dino mi trottò dietro verso casa, e voleva venire alla villa per provare la lente. Parlava senza inciampi, sicuro di sé, come si fa tra coetanei. Mi dava del voi.

— Senti, — gli feci, — devi darmi del lei o del tu. Dammi del tu, come la mamma.

— Sei anche tu come la mamma, — disse brusco, — volete che si perda la guerra.

Gli dissi allegro: — Del voi me ne dànno già a scuola.

Poi dissi: — Ti piace la guerra?

Dino, contento, mi guardò. — Mi piacerebbe esser soldato. Combattere in Sicilia —. Poi mi chiese: — Faranno la guerra anche qui?

— C'è già, — gli dissi. — Degli allarmi hai paura?

Nemmeno per sogno. Era stato a vedere le bombe cadute. Sapeva tutto dei motori e dei tipi, e in casa aveva tre spezzoni. Mi chiese se sul campo di battaglia il giorno dopo si possono raccogliere pallottole.

— Le vere pallottole, — dissi, — vanno a cadere chi sa dove. Sul campo rimangono soltanto i bossoli e i morti.

— Nel deserto ci sono gli avvoltoi, — disse Dino, — che sotterrano i morti.

— Li mangiano, — dissi. Lui rise.

— Lo sa la mamma che vorresti far la guerra?

Entrammo nel cortile. Cate e la vecchia erano sedute sotto gli alberi.

Dino abbassò la voce. — La mamma dice che la guerra è una vergogna. Che i fascisti hanno colpa di tutto.

— Vuoi bene alla mamma? — gli chiesi.

Alzò le spalle, come tra uomini. Le due donne ci guardavano venire.

Non sapevo in quei giorni se Cate approvava che stessi con Dino. La vecchia sí — glielo toglievo dai piedi. Cate lo guardava sorpresa girarmi intorno, raccogliere fiori, strapparmi la lente di mano, e qualche volta lo richiamò vivamente, come si fa coi bambini che mancano di rispetto agli adulti. Dino taceva, s'aggobbiva, e continuava a bassa voce. Poi correva a mostrarle i disegni o le parti di un fiore. Le gridava che gli avrei portato un libro di piante. Cate lo prendeva, gli aggiustava i capelli, gli diceva qualcosa. Io quasi preferivo le volte che Cate era via.

Pensai che Cate era gelosa di suo figlio. Una sera la colsi che mi guardava con un'ombra di scherno. — Cate, ti faccio proprio schifo? — le dissi piano, canzonando. Si sentí presa

alla sprovvista e abbassò gli occhi e la voce. – Perché? –
balbettò, lei che di solito troncava quei discorsi.

– Eravamo ragazzi, – le dissi. – Le cose non si sanno mai
a tempo.

Ma già lei rialzava la faccia e parlava attraverso il cortile.

Poco dopo mi disse: – Lo sanno le tue donne che ti ab-
bassi a parlare con noi? Glielo dici tornando la notte che sei
stato all'osteria? Com'è che si chiama quella storta che vuole sposarti? l'Elvira?

Le avevo raccontato queste cose scherzandoci. – Che ti
piglia? – le dissi. – Vengo con te perché mi piace. Mi piacete tutti quanti. Giro i boschi e le strade. Sto bene con voi
come sto bene in collina.

– Ma all'Elvira lo dici?

– Cosa c'entra l'Elvira?

– L'Elvira è la mamma del tuo cane, – disse adagio. –
Non vuol sapere dove andate tutto il giorno?

– L'Elvira è una scema.

– Però ci stai bene. Come stai bene con noialtri.

– Sei gelosa, Cate?

– Di chi? Fammi ridere. Sono gelosa di Fonso?

– Ma Fonso è un ragazzo, – gridai. – Cosa c'entra?

– Per te siamo tutti ragazzi, – mi disse. – Siamo come il
tuo cane.

Non le cavai altro, quella sera. Vennero Fonso, le ragazze, Dino. Cianciammo, ascoltammo, qualcuno cantò. C'erano facce nuove. Una coppia di sposi sinistrata – conoscenti
di Fonso –, si bevette qualcosa. Poi, quando fu l'ora, Cate
rincorse Dino che scappava, per portarlo a letto. Tutti lo
pigliavano e nel buio qualcuno disse Corrado. – Corrado, –
dicevano, – chi si chiama Corrado, ubbidisce.

## VI

Appena Cate uscí di nuovo nel cortile, le andai incontro. Lei non si era accorta di nulla. Forse credeva che volessi riparlare dell'Elvira e mi fece gli occhiacci e si fermò.

– Si chiama Corrado, – le dissi.

Mi guardò interdetta.

– È il mio nome, – le dissi.

Lei volse il capo, in quel suo modo baldanzoso. Guardò quegli altri, ai tavolini, nell'ombra. Susurrò spaventata: – Va' via, che ci vedono.

Mi volsi anch'io, per venirle a fianco. S'incamminò e disse scherzando: – Non lo sapevi ch'è il suo nome?

– Perché gliel'hai messo?

Alzò le spalle e non rispose.

– Quanti anni ha Dino? – e la fermai.

Mi strinse il braccio e disse: – Dopo. Sii buono.

Chiacchierarono a lungo di guerra e di allarmi, quella sera. L'amico di Fonso era stato ferito in Albania e raccontava quel che tutti sapevano da un pezzo. – Ho provato a sposarmi per dormire dentro un letto, – diceva, – e adesso anche il letto è partito –. E la sposina: – Dormiremo nei prati, sta' bravo –. Io m'ero seduto vicino alla vecchia, e tacevo, sbirciavo il profilo di Cate. Mi pareva quella notte che l'avevo ritrovata, che le parlavo e non sapevo chi era. Ogni volta piú cieco, ero stato. Un mese mi c'era voluto per capire che Dino vuol dire Corrado. Com'era la faccia di Dino? Chiudevo gli occhi e non riuscivo a rivederla.

Mi alzai di botto, per camminare nel cortile. – Mi accompagni là dietro? – disse Cate, e si alzò subito. M'incamminai con un senso di nausea. Da quel momento la mia vita rovinava. Ero come in rifugio quando le volte traballano. «Potevo fare tante cose», uno grida tra sé.

Andavamo nel buio. Cate taceva nel silenzio. Mi prese a

braccetto incespicando e saltando leggera e disse piano:
– Tienmi dritta –. L'afferrai. Ci fermammo.

– Corrado, – mi disse. – Ho fatto male a dare a Dino
questo nome. Ma vedi che non conta. Non lo chiamiamo
mai cosí.

– Allora perché gliel'hai dato?

– Ti volevo ancora bene. Tu non lo sai che ti ho voluto
bene?

« A quest'ora, – pensai, – me l'avrebbe già detto ». – Se
mi vuoi bene, – dissi brusco e strinsi il braccio, – di chi è
figlio Corrado?

Si liberò, senza parlare. Era robusta, piú di me. – Stai
tranquillo, – mi disse, – non avere paura. Non sei tu che
l'hai fatto.

Ci guardammo nel buio. Mi sentivo spossato, sudato. Lei
nella voce aveva avuto un'ombra di sarcasmo.

– Cos'hai detto? – mi fece, sollecita.

– Niente, – risposi, – niente. Se mi vuoi bene...

– Non te ne voglio piú, Corrado.

– Se gli hai dato il mio nome, come hai potuto fare subito l'amore con un altro, quell'inverno?

Nell'ombra dominai la mia voce, mi umiliai, mi sentii generoso. Parlavo alla Cate di un tempo, alla ragazza dispe-
rata.

– Tu l'hai fatto l'amore con me, – disse tranquilla, – e di
me t'importava un bel niente.

Era un'altra questione, ma che cosa potevo risponderle?
Glielo dissi. Lei disse che si può far l'amore e pensare a tut-
t'altro. – Tu lo sai, – ripeté, – non vuoi bene a nessuno eppure avrai fatto l'amore con tante.

Di nuovo dissi, rassegnato, che da un pezzo non pensavo
a queste cose.

Tornò a dirmi: – L'hai fatto.

– Cate, – m'irritai, – dimmi almeno chi è stato.

Di nuovo sorrise, di nuovo non volle saperne. – Ti ho già
raccontato la mia vita di questi anni. Ho sempre faticato e
battuto la testa. I primi tempi è stato brutto. Ma avevo Dino, non potevo pensare a sciocchezze. Mi ricordavo di quello che mi hai detto una volta, che la vita ha valore solamente se si vive per qualcosa o per qualcuno...

Anche questo le avevo insegnato. La frase era mia. « Se
ti chiede per chi vivi tu, – mi gridai, – cosa rispondi? »

– Allora, non mi detesti, – balbettai sorridendo, – qualcosa di buono tra noi c'è stato? Puoi pensare a quei tempi senza cattiveria?

– A quei tempi tu non eri cattivo.

– Adesso sí? – dissi stupito. – Adesso ti faccio ribrezzo?

– Adesso soffri e mi fai pena, – disse seria. – Vivi solo col cane. Mi fai pena.

La guardai interdetto. – Non sono piú buono, Cate? Anche con te, non sono buono piú che allora?

– Non so, – disse Cate, – sei buono cosí, senza voglia. Lasci fare e non dài confidenza. Non hai nessuno, non ti arrabbi nemmeno.

– Mi sono arrabbiato per Dino, – dissi.

– Non vuoi bene a nessuno.

– Devo baciarti, Cate?

– Stupido, – disse, sempre calma, – non è questo che dico. Se io avessi voluto, mi avresti baciata da un pezzo –. Tacque un momento, poi riprese: – Sei come un ragazzo, un ragazzo superbo. Di quei ragazzi che gli tocca una disgrazia, gli manca qualcosa, ma loro non vogliono che sia detta, che si sappia che soffrono. Per questo fai pena. Quando parli con gli altri sei sempre cattivo, maligno. Tu hai paura, Corrado.

– Sarà la guerra, saranno le bombe.

– No, sei tu, – disse Cate. – Tu vivi cosí. Adesso hai avuto paura per Dino. Paura che fosse tuo figlio.

Dal cortile ci chiamarono. Chiamavano Cate.

– Torniamo, – disse Cate sommessa. – Stai tranquillo. Nessuno ti disturba la pace.

M'aveva preso per il braccio e la fermai. – Cate, – le dissi, – se fosse vera la cosa di Dino, ti voglio sposare.

Mi guardò, senza ridere né turbarsi.

– Dino è mio figlio, – disse piano. – Andiamo via.

Passai cosí un'altra notte come la prima quando l'avevo ritrovata. Stavolta l'Elvira era a letto da un pezzo. Adesso che stavo giorno e notte in collina, lei sapeva di avermi al sicuro e mi lasciava sbizzarrire. Mi burlava soltanto perché, con tutti i miei muschi e i miei studi campestri, non conoscevo per nome i suoi fiori del giardino, e di certi scarlatti, carnosi, osceni, non seppi dirle proprio nulla. Le ridevano gli occhi parlandone.

– I cattivi pensieri notturni, – le dissi, – diventano fiori. Non c'è nome che basti. Anche la scienza a un certo punto si ferma –. Lei rideva, abbracciandosi i gomiti, lusingata del mio gioco. Ci pensai quella notte perché nel mazzo sopra il tavolo c'era qualcuno di quei fiori. Mi chiesi se Cate vedendoli avrebbe apprezzato lo scherzo. Forse sí, ma non detto in quel modo, non truccato cosí. Una cosa quella sera avevo scoperto, un'altra prova ch'ero stato scemo e cieco anche stavolta: Cate era seria era padrona, Cate capiva come e meglio di me. Con lei il tono d'un tempo, baldanzoso e villano, non serviva piú a nulla. Ci pensai tutta la notte, e di notte nell'insonnia il suo sarcasmo ingigantiva. In questo trovavo una pace. Se Cate diceva che Dino era suo, non potevo non fidarmi.

Ci pensai fino all'alba; e l'indomani a colazione, quando l'Elvira ritornò da messa, mi dissi ridendo: « Se sapesse che cosa c'è in aria ». Lei invece aveva sentito a Santa Margherita che la guerra non poteva durare piú molto, perché il papa aveva fatto un discorso consigliando che tutti vivessero in pace. Bastava volerlo col cuore e la pace era fatta. Non piú bombe né incendi né sangue. Non piú vendette né speranze di diluvio. L'Elvira era inquieta e felice. Io le dissi che andavo a passeggio e la lasciai che sfaccendava intorno al fuoco.

Siccome era domenica, alle Fontane c'eran tutti dal sabato sera. Vidi alla finestra Nando lo sposo sinistrato, vidi le sorelle di Fonso, che gli gridavano qualcosa. Salutai le ragazze, chiesi se Dino era già andato per i boschi. M'indicarono il prato là dietro. Volli lasciare tutto al caso e dissi a Giulia che gli dicesse ch'ero andato alla fontana. Belbo, grosso e eccitato, s'infilava già nel bosco. Lo chiamai, lo accucciai sul sentiero, gli dissi di attendere Dino. Mi mostrò i denti con un ringhio.

Quando fui sulla costa e le voci si spensero, immaginai la corsa dei due in mezzo ai tronchi, la bella avventura. Chi sa se Dino fra vent'anni si sarebbe ricordato quell'ora, l'odore del sole, le voci lontane, i scivoloni sulla pietra? Mi giunse un ansito, un fruscio, e apparve Belbo. Si fermò e mi guardava. Era solo. Tesi il braccio e gli dissi: – Va' via. Ritorna con Dino. Va' via –. Si accosciò e appiattí il muso per terra. – Va' via –. Mi chinai per raccogliere un sasso. Allora Belbo fece un salto e cominciò a latrarmi contro. Presi il sasso. Belbo tornò per la sua strada, adagio.

Giunsi sotto alla fontana, nella conca di erbe grasse e fangose. Tra le piante apparivano buchi di cielo e aerei versanti. C'era in quel fresco un odore schiumoso, quasi salmastro. « Cos'importa la guerra, cos'importa il sangue, – pensavo, – con questo cielo tra le piante? » Si poteva arrivare correndo, buttarsi nell'erba, giocare alla caccia o agli agguati. Cosí vivevano le bisce, le lepri, i ragazzi. La guerra finiva domani. Tutto tornava come prima. Tornavano la pace, i vecchi giochi, i rancori. Il sangue sparso era assorbito dalla terra. Le città respiravano. Soltanto nei boschi nulla mutava, e dove un corpo era caduto riaffioravano radici.

Dino arrivò col suo bastone, zufolando, preceduto da Belbo. Disse che Giulia non gli aveva detto niente, che aveva capito da sé che l'aspettavo. Gli chiesi: – Cosa hai sulla faccia? – e tenendolo fermo, lo scrutai, lo toccai – gli occhi, le palpebre, il profilo. Ma si può dire che un bambino rassomigli a un adulto? Ne avevo riso tante volte. Pagavo anche questa. Dino girava gli occhi inquieto, gonfiava le gote, sbuffava. Questo, se mai, questo ostentato riluttare, somigliava a qualcosa di me. Cercai di rivedermi bambino in quella smorfia. Pensai che anch'io avevo avuto un collo gracile cosí, quando giravo nelle vigne in questi paesi.

Poi ce ne andammo. – Stamattina arriviamo proprio in cima –. Gli raccontai di quando avevo pigiato l'uva ai miei paesi. – Tutti, gli uomini e i ragazzi, bisogna che si lavino i piedi. Ma chi va scalzo li ha già puliti, piú di noi.

– Anch'io dei giorni entro scalzo nei prati, – disse Dino.

– Tu vali poco, a pigiar l'uva. Pesi poco. Quanti anni hai, giusti?

Me lo disse. Era nato alla fine di agosto. Ma Cate, l'avevo lasciata in novembre o in ottobre? Non riuscivo a ricordarmi. Alla stazione quella sera c'era fresco. C'era nebbia, era inverno? Non riuscivo. Per me ricordavo soltanto le lotte nell'afa d'agosto fra i cespugli di Po.

Raggiungendo lo stradone sulla vetta, andammo spediti. Era il borgo del Pino. Di qui, dai balconi delle case che strapiombavano, s'intravedeva la pianura di Chieri, sconfinata, fumosa.

– Mio padre, – dissi a Dino, – faceva tutte le mattine prima di giorno una strada cosí. La faceva in biroccino per andare ai mercati.

Dino trottò senz'aprir bocca, menando il bastone sull'asfalto.

– Tu non l'hai conosciuto tuo padre? – dissi.

– La mamma, l'ha conosciuto, – rispose. – Dice che non si sono mai piú visti.

– Non sai chi fosse?

Mi guardò fiducioso e impaziente. Era chiaro che non ci aveva mai pensato.

– Se non c'è dev'essere morto, – gli dissi. – Sulla pagella non c'è il nome di tuo padre?

Dino pensò, guardando avanti. – Dice solo la mamma, – rispose con una smorfia. – Sono orfano, io.

Mettemmo il naso nella porta dell'osteria. C'era un'aria domenicale. Sfaccendati che giocavano a biliardo ci guardarono, tacquero. – Politica, – bisbigliai a Dino. – Vuoi pane e salame?

Dino corse al biliardo. Io girellai fino al finestrone di fondo. Di là si vedeva la pianura assolata. I giocatori, osservati da Dino, s'eran rimessi a giocare, parlottando. Si passavano accanto menando le stecche.

Parlavano d'altro. Eran ragazzi di campagna. Qualcuno aveva la camicia nera.

– Chi vuoi che sia? – disse un biondo, infagottato. – Per tutti è domenica.

Risero allegri, troppo allegri, a disagio. Ci pensai l'indomani, ci pensai d'improvviso: quella domenica di sole fu l'ultima volta che, arrivando un estraneo, bisognò cambiar discorso all'osteria. Fin che durò la breve estate, almeno. Ma nessuno di noi lo sapeva.

Dino adesso mordeva il suo pane e seguiva le stecche. Era entrato anche Belbo. Levarli di là fu difficile. Belbo fiutava sotto i tavoli. Dissi a Dino che andavo e lo lasciavo a ubbriacarsi. Mi raggiunsero correndo, quasi fuori del paese.

Quel pomeriggio venne l'Egle col fratello ufficiale-pilota, un bel ragazzo magro e moro che dava la mano facendo l'inchino. Scesi dalla mia stanza, alle voci, e li trovai nel frutteto con le mie vecchie. Il giovanotto era seccato, disgustato; s'era messo in borghese; parlava di voli sul mare e di gabbiani. – Ditelo pure, – mi diceva, – noi aviatori siamo i fessi. Siamo sempre di scena. Per poco la guerra non l'abbiamo voluta noialtri.

– La *fate* soltanto voialtri, siete ingenui, – interruppe la sorella.

L'Elvira ascoltava, ammirata. – All'età di voialtri, – gli dissi, – per noi la vita era un salotto, un'anticamera. Ci pareva di fare gran che a uscir di sera, a saltare sul treno in paese per tornare in città. Si aspettava qualcosa che non veniva mai.

Mi capí al volo, quel ragazzo. Disse: — Adesso il qualcosa è venuto.

Poi l'Elvira ci fece il tè. La vecchia chiese guardinga se, adesso che gli inglesi eran sbarcati, c'era pericolo che la guerra risalisse l'Italia.

— Per noi, — disse il giovane, — meglio combattere in Italia che sul mare o nel deserto. Cosí almeno sappiamo che cadremo in casa nostra.

— Nei vostri quartieri, — gli disse l'Elvira, — avete almeno pulizia e cibi caldi? Una tazza di tè come questo?

— Non capisco perché non ci vogliano in guerra, — disse l'Egle. — Potremmo fare tante cose nelle basi e in prima linea. Divertirvi, aiutarvi. Non soltanto come infermiere.

Il fratello aprí la bocca e disse: — Certo.

Poi venne sera e, non so come, quella sera stetti a guardare il cielo nero. Ripensavo alla notte e al mattino, al passato, a tante cose. Alla mia strana immunità in mezzo alle cose. Ai miei sciocchi rancori. Di tanto in tanto nella notte mi giungevano canti, clamori lontani. Fiutavo l'odore dei boschi. Pensavo a Dino, all'aviatore, alla guerra. Pensavo che tanto ero vecchio e che avrei sempre continuato quella vita.

VII.

L'indomani vennero le notizie. Fin dall'alba strepitarono
le radio dalle ville vicine: l'Egle ci chiamò dal cortile; la
gente scendeva in città parlando forte. L'Elvira bussò alla
mia camera, e mi gridò attraverso la porta che la guerra era
finita. Allora entrò dentro e, senza guardarmi ché mi vesti-
vo, mi raccontò, rossa in faccia, che Mussolini era stato ro-
vesciato. Scesi da basso, trovai Egle, la madre, ascoltammo
la radio – stavolta anche Londra – non ebbi piú dubbi, la
notizia era vera. La madre disse: – Ma è finita la guerra?

– Comincia adesso, – dissi incredulo.

Capivo adesso i clamori notturni. Il fratello dell'Egle era
corso a Torino. Tutti correvano a Torino. Dalle ville sbucavano facce e discorsi. Cominciò quella ridda d'incontri, di
parole, di gesti, d'incredibili speranze, che non doveva piú
cessare se non nel terrore e nel sangue. Gli occhi di tutti
erano accesi, anche quelli preoccupati. D'or innanzi anche
la solitudine, anche i boschi, avrebbero avuto un diverso sapore. Me ne accorsi a una semplice occhiata che gettai tra le
piante. Avrei voluto saper tutto, aver già letto i giornali,
per potermi allontanare fra i tronchi e contemplare il nuovo
cielo.

Con un coro di grida e di richiami si fermarono al cancello Fonso, Nando e le ragazze. – C'è da fare, – gridava
Nando, – i fascisti resistono. Venite con noi a Torino.

– La guerra continua, – disse Fonso. – Ieri notte vi abbiamo aspettato.

– Sembra che andiate a far merenda, – risposi. Scherza-
vamo cosí. Le ragazze dissero: – Andiamo.

– Ammazzare. Levargli la voglia, – gridava Fonso. – C'è
bisogno di noi.

Se ne andarono. Dissero che tornavano a notte, a pace
fatta. Restai lassú non perché avessi paura di qualche pal-
lottola (era peggio un allarme), ma perché prevedevo entu-

siasmi, cortei, discussioni sfegatate. Egle mi volle suo accompagnatore a un'altra villa, dove andava a gridare la notizia e le voci. Passammo per una stradina fra gli alberi, che ci portò dietro la costa in un piccolo mondo ignorato di rive e di uccelli. « Hanno invaso le carceri ». « C'è lo stato d'assedio ». « Tutti i fascisti si nascondono ». Torino era a due passi, remota. – Forse domani troveremo in questi boschi un gerarca fuggiasco, – dissi.

– Che spavento, – disse Egle.

– Mangiato dai vermi e dalle formiche.

– Se lo meritano, – disse Egle.

– Se non fosse per loro, – le dissi, – non saremmo vissuti tranquilli in collina per tanti anni.

Eravamo arrivati e già chiamava l'amica. Io le dissi che dovevo scappare. Fece una smorfia di dispetto.

– La signora Elvira, – tagliai, – non approva che andiamo a passeggio nei boschi.

Mi guardò con gli occhietti. Mi tese la mano come una donna, e scoppiò a ridere.

– Maligno, – disse.

L'amica venne alla finestra, una ragazza con le trecce. In distanza le sentii festeggiarsi. Avevo già preso la strada delle Fontane. M'accorsi che stavolta ero solo. « Belbo è scappato a Torino anche lui ». Immaginavo l'osteria silenziosa, Dino nel prato, le due donne in cucina. « Adesso che la guerra finisce, forse Cate mi dirà la verità », pensai salendo.

Non fu necessario arrivare lassú. Cate scendeva sotto il sole, vestita a colori, saltellando.

– Come sei giovane, – le dissi.

– Sono contenta, – e si attaccò al mio braccio senza fermarsi, come ballasse. – Sono cosí contenta. Non vieni a Torino?

Si fermò e disse brusca: – Tu sei capace di non saper niente. Magari stanotte dormivi. Nessuno ti ha visto.

– So tutto, – le dissi. – Sono contento come te. Ma lo sai che la guerra continua? Cominciano ora i pasticci.

– E con questo? – mi disse. – Almeno adesso si respira. Qualcosa faremo.

Scendemmo insieme discutendo. Non lasciò che parlassi di Dino. Disse che adesso bisognava esser d'accordo – strillare, fare scioperi, imporsi. Disse che almeno per quei giorni non ci sarebbero piú state incursioni, e bisognava profittarne, strappare al governo la pace. Sapeva già quel che va-

leva quel governo; – sono sempre gli stessi, – diceva. – Ma
questa volta hanno paura, hanno bisogno di salvarsi. Basta
dargli la spinta.

– E i tedeschi, – le dissi, – e quegli altri?

– L'hai detto tu che dobbiamo svegliarci e far piazza pulita...

– Cate, ci hai proprio la passione, – dissi a un tratto, –
sei diventata rivoluzionaria.

Mi disse stupido e arrivammo al tram. Non riuscivo a
parlarle di Dino. Faceva strano parlar tanto di politica ma
sul tram tutti abbassavano la voce. Le colonne dei portici e
i muri erano coperti di proclami. La gente sostava. Nelle
strade incruente e festose si camminava stupefatti. C'era un
formicolio e un daffare come dopo una grossa incursione.

Cate correva all'ospedale, e ci lasciammo. Mi disse che
forse né lei né i ragazzi rientravano quella sera.

– E Dino sta solo?

– Dino è davanti con Fonso e con gli altri. Stiamo con
loro questa sera.

Rimasi male. Mentre scherzavano al cancello, Dino nemmeno mi aveva parlato, non s'era mostrato. Cate mi disse:
– Dove mangi?

Rimasto solo, girai per Torino. Davvero sembrava l'indomani degli incendi. Era avvenuto qualcosa di enorme, un
terremoto, cui soltanto i vecchi crolli e le macerie dissemi-
nati per le vie e riparati alla meglio, facevano adatto teatro.
Non si poteva né pensare né dir nulla che non fosse ridicol-
mente inadeguato. Passò una banda di ragazzi, trascinando
uno stemma di latta legato a una fune. Urlavano al sole, e
lo stemma sferragliava come una pentola. Pensai che Dino
era un ragazzo come quelli, e ancora ieri immaginava di fare la guerra.

Davanti alla Casa del Fascio stazionava un cordone di
soldati dello stato d'assedio. Portavano elmetto e fucile;
sorvegliavano la strada cosparsa di carte strinate, le finestre
rotte, il portone vuoto. I passanti giravano al largo. Ma i
soldati si annoiavano e ridevano tra loro.

Su un angolo m'imbatto nel fratello dell'Egle. S'era messo in divisa, coi nastrini e il cinturone, e squadrava la strada, indignato.

– O Giorgi, – gli dissi, – finita la licenza?

– Quel che succede non doveva succedere, – disse. –
Quest'è la fine.

– Cosa si dice nell'esercito?

– Niente si dice. Si aspetta. Nessuno ha il coraggio di venirci attaccare. Sono un branco di vigliacchi.

– Chi, vi deve attaccare?

Giorgi mi guardò, sorpreso e offeso.

– Tutti scappano, tutti hanno paura, – disse, – e hanno aspettato per vent'anni a vendicarsi. Mi sono messo in divisa, la divisa della guerra fascista, e nessuno ha il coraggio di venire a strapparmela. Siamo in pochi. Non lo sanno questi vigliacchi che siamo in pochi.

Allora gli dissi che il suo capo era il re e che il colpo veniva dal re. Lui doveva ubbidire.

Sorrise, con quell'aria di disgusto. – Anche voi. Non capite che siamo soltanto al principio? Che dovremo difenderci?

Se ne andò, con la bocca serrata. Gli tenni dietro con gli occhi, si perdé nella folla. Erano in molti come lui? Mi chiesi se tutti i Giorgi, tutti i bei ragazzi che avevano fatto la guerra, ci squadravano in quel giorno cosí.

« Sarà perduta ma non è finita, – brontolavo tra me, – ne devono ancora morire ». E guardavo le facce, le case. « Prima che l'estate finisca, quanti di noi saranno a terra? Quanto sangue schizzato sui muri? » Guardavo le facce, le occhiaie, chi andava e veniva, il tranquillo disordine. « Toccherà a quel biondino. Toccherà a quel tranviere. A quella donna. Al giornalaio. A quel cane ».

Finí che andai verso la Dora, dov'era la ditta di Fonso. Girai nei viali, dopo il ponte; avevo a destra la collina chiara e immensa. È un quartiere di grosse case popolari, e di prati, di muriccioli, di casette residue da quando qui arrivava la campagna. Il cielo era piú caldo e piú aperto; la gente – donnette, ragazzi – formicolavano tra i marciapiedi, l'erba e le botteghe. Grandi scritte sui muri, d'incauto entusiasmo, erano fiorite nella notte.

Dalla ditta di Fonso – un cancello e un capannone in fondo a un prato – veniva il cigolio e il cupo tonfo delle macchine. « Dunque lavorano, – mi dissi, – non è cambiato proprio niente ». In quelle strade dove s'era piú penato e sperato, dove al tempo che noi eravamo ragazzi s'era sparso tanto sangue, la giornata passava tranquilla. Gli operai, gli schiacciati, lavoravano come ieri, come sempre. Chi sa, credevano tutto finito.

Aspettando pensavo a Cate, alla logica di quella vita che

tornava a riprendermi in un simile momento. Del gusto violento e beffardo che avevo condiviso con Gallo per la dura umanità delle barriere, dell'inutile rabbia con cui m'ero cacciato nel salotto di Anna Maria, non mi restava che vergogna e segreto rossore. Così futile era stata tutta quanta l'avventura, che ero ridotto a dirmi «Bravo. L'hai scampata».

Ma l'avevo davvero scampata? C'era la fine della guerra, c'era Dino. Per minaccioso che fosse l'imminente avvenire, il mondo vecchio traballava, e la mia vita era tutta impostata su quel mondo, sul terrore e rancore e disgusto che quel mondo incuteva. Adesso avevo quarant'anni e c'era Cate, c'era Dino. Non contava di chi fosse davvero figlio: contava il fatto che ci fossimo trovati in quell'estate dopo le assurde villanie di una volta, e Cate sapesse per chi e perché vivere, Cate avesse uno scopo, volontà d'indignarsi, un'esistenza tutta piena e tutta sua. Non ero futile e villano anche stavolta, che le giravo intorno tra smarrito e umiliato?

Nel cortile della fabbrica cominciò movimento. Altra gente aspettava come me, si formavano gruppi, qualcuno usciva – uomini validi, ragazze, giovanotti con la giacca sulla spalla. Cominciavano a chiamarsi e parlare forte. Riconobbi i miei uomini. Qui il sospetto sornione che regnava in città in mezzo al disordine e alla festa, era sommerso in ben altra franchezza, in un clamore ingenuo e ardito. Anche i solitari che gettavano occhiate e poi se ne andavano fischiando, avevano nel passo una loro baldanza. Più di tutti vociavano le ragazze. Si chiedevano e davano notizie, gridavano con gusto cose ancora ieri proibite.

Sotto il sole, scottava. Vidi Fonso fermo in un crocchio. Non mi mossi. Era proprio un ragazzo. Aveva accanto un uomo in tuta, gigantesco, e uno mingherlino. Ridevano. Speravo che Cate o qualcuno degli altri fosse venuto al cancello ma non vidi nessuno.

– Il professore, – gridò Fonso.

Entrai con loro. Discutevano sopra il giornale. – Il cavaliere Mussolini, – disse scattante il bassotto, mordendo la sigaretta, – il cavaliere... L'hai capita? Adesso se ne ricordano.

– Hanno paura dei tedeschi, – disse Fonso.

– Macché. Siamo merli noialtri, – ghignò l'altro. – Sai com'è? L'hanno capita tra loro gerarchi che la storia puz-

zava, e allora corrono dal re e gli fanno: « Senti. Ci devi
mettere a riposo, levarci dalla merda. Tu intanto continui
la guerra, gli italiani si sfogano, si fiaccano il collo, e noi domani ritorniamo a darti mano. Ci sei? »

— Lascialo dire, — brontolò il gigante in tuta. — Se non fa
l'asino quest'oggi, quando vuoi che lo faccia? Ieri sera l'hai
presa la sbornia?

— Quattro ne ha prese, — disse Fonso, divertito.

— E allora basta. Andiamo a casa.

— Vedrai che ritornano, — gridò il mingherlino.

Restai solo con Fonso e il gigante. Camminavamo in
mezzo ai cenni e alle voci.

— Però Aurelio ha ragione, — disse Fonso. — Hanno riempito di soldati le caserme.

Il gigante, incuriosito, girò la faccia. — I soldati sono popolo, — disse. — Sono popolo armato. Non si sa contro chi
spareranno.

— Hanno paura dei tedeschi, — interruppi, — spareranno
sui tedeschi.

— Una cosa alla volta, — disse l'altro adagio, — verrà la
volta anche per loro. Non adesso.

— Macché, — disse Fonso. — Che sparino subito. È questa
la guerra.

Il gigante scuoteva il capo.

— Voi non sapete che cos'è politica, — disse. — Lascia fare
ai piú vecchi.

— Vi abbiamo lasciato una volta, — disse Fonso.

Arrivammo davanti alla casa, che le radio cominciavano
a gracchiare. Ci soffermammo; si fermarono tutti. — Il bollettino. Silenzio —. Seguí la notizia dello stato d'assedio, del
buon ordine in tutta Italia, dei cortei di esultanza, della
nostra decisione di combattere e farci onore fino all'ultimo
sangue.

— Lascia fare a chi sa, — ripeteva il gigante a capo chino.

— È tutta merda, — disse Fonso, — evviva Aurelio.

Dietro alla casa la collina si stendeva nel cielo, semina-
ta di case e di boschi. Mi chiedevo chi la vedesse in quel
momento, della gente che attendeva, rientrava, parlava. In
quei paraggi, strano a dirsi, non c'erano case diroccate. Chiesi a Fonso se stasera tornava lassú.

— C'è da fare a Torino, — mi disse, — c'è da tenere gli occhi aperti.

Il gigante approvò col capo.

– E le donne dove sono? – dissi. – Cate è rimasta all'o-
spedale?

– Rimanete con noi stasera, – disse Fonso. – Andiamo
tutti alla riunione.

– Che riunione?

Fonso ghignò, come un ragazzo. – Riunione in piazza, o
clandestina. Secondo. Con questo governo non si capisce
piú niente. Almeno, prima, la galera era sicura.

Mi feci dire dove potevo ritrovarli. Strinsi la manona
dell'altro. Me ne andai sotto il sole. Mangiai in un caffè del
centro, dove si discorreva come niente fosse successo. Una
cosa era certa – l'avevano detto anche le radio nemiche –
per qualche giorno niente bombe dal cielo. Passai dalla scuola ma non c'era nessuno. Allora andai solo, per strade e caffè, sfogliai dei libri da un libraio, mi soffermai davanti a
vecchie case che contenevano ricordi mai piú rinvangati.
Tutto pareva rinnovato, fresco, bello, come il cielo dopo un
temporale. Sapevo bene che non sarebbe durata, e passo
passo mi diressi all'ospedale, dove lavorava Cate.

VIII.

La notte risalii in collina con Cate al braccio e Dino che
mi trottava davanti assonnato. Avevamo cenato insieme, al
quarto piano nell'alloggio di Fonso, con le sorelle, coi vicini, ridendo, ascoltando la radio, tendendo l'orecchio a ogni
sospetto di sommosse o di cortei che salisse dalla strada. La
sera estiva brulicante di sentori e di speranze mi diede alla
testa. Poi eravamo scesi tutti in un cortile lastricato, nel-
l'ombra – veniva gente, operai, coinquilini, ragazze – e ci
fu un uomo, un giovanotto, che si issò sul balcone dell'am-
mezzato e parlò con calore tutt'altro che ingenuo del grande fatto di quei giorni, e del domani. Pareva un sogno, sentire quelle pubbliche frasi. L'entusiasmo mi prese. « Né pro-
pagande né terrore hanno toccato questa gente, – pensai. –
L'uomo è migliore di quel che si crede ». Poi altri parlarono, discussero a gran voce. Ricomparve il gigante di prima.
Incitò alla prudenza. Lo subissarono d'applausi. – È stato
in prigione, – mi dissero. – Ha fatto piú scioperi lui... – Che
il governo si spieghi, – gli gridavano. – Che lasci parlare
noialtri –. Una voce stridula di donna intonò un canto: s'u-
nirono tutti. Pensai che dalla strada le pattuglie ci sentivano e mi misi sul portone di guardia.

Adesso salivamo in silenzio con Cate, tenendoci il braccio come innamorati e tra noi camminava una speranza,
un'estiva inquietudine. Avevamo traversato insieme Torino due volte quel giorno, e prima di cena, sullo spiazzo di
Po davanti all'ospedale, m'ero accorto che proprio in quei
luoghi avevo conosciuto Cate e che di là passavamo per an-
darcene in barca. La giornata finiva in una sapida freschez-
za, e tutto, l'aria trasparente, il nitore delle cose, ricordava
altre sere, sere ingenue, di pace. Ogni cosa pareva risolta,
promettente, perdonabile. Con Cate avevamo riparlato di
Gallo, del suo vocione malinconico, della gente di allora
Quel che di nuovo c'era al mondo quella sera, cancellava

durezze, rancori, difese. Quasi di nulla ci si vergognava. Potevamo parlare.

Cate scherzando non credeva al mio amore furioso per Anna Maria. – Doveva essere una furba, – mi disse, – di quelle che si fanno desiderare. Perché non vi siete sposati?

– Non mi ha voluto.

Corrugò la fronte. – Sei tu che non l'hai voluta, – disse. – Gliel'hai fatto capire. Perché non avrebbe dovuto sposarti?

– Ero troppo furioso. La volevo sposare per sfuggirle di mano. Non c'era altro modo.

– Vedi dunque. Sei tu. Non sei capace a voler bene.

– Cate, – le dissi, – Anna Maria era ricca e viziosa. Di chi fa il bagno tutti i giorni non fidarti. Ha un altro sangue. È gente che gode diverso da noi. Sono meglio i fascisti. Del resto, i fascisti li hanno messi su loro.

– Sai queste cose? – disse Cate sorridendo.

– Se Anna Maria avesse un figlio e l'avesse chiamato Corrado, scapperei come il vento.

Cate tacque, sempre allegra, corrugando la fronte.

– Dimmi, Cate, sei sicura che Dino...

Eravamo soli, tra le case, in attesa del tram. C'era di nuovo, per quella via Nizza, solamente qua e là un caseggiato rotto, come un buco in una gengiva. Le presi la mano.

– No, – lei mi disse. – Non c'è bisogno che fai finta. Non siamo piú come una volta. Che cosa t'importa se Dino è tuo figlio? Se fosse tuo figlio mi vorresti sposare. Ma non ci si sposa per questo. Anche me vuoi sposarmi per liberarti di qualcosa. Non pensarci –. Mi strinse il bavero, carezzandomi. Mi guardò sorridendo. – Te l'ho già detto. Sta' tranquillo. Non è tuo figlio. Sei contento?

– Non ci credo, Cate, – borbottai sulle sue dita. – Se tu fossi al mio posto, che faresti?

– Lascierei correre, – mi disse allegra. – Chi c'è piú che voglia un figlio ai nostri tempi?

– Scema.

Cate arrossí e mi serrò il braccio.

– No, hai ragione. Ti caverei gli occhi. Butterei tutto in aria. Ma sono sua mamma, Corrado.

Adesso, nel buio, salivamo la collina. Dino inciampava al nostro fianco. Dormiva. Rimuginando la dolcezza del colloquio di prima, camminavo con Cate, e speravo inquieto. Che cosa? Non so, la sua dolcezza, la fermezza con cui mi trattava, la tacita promessa di non serbarmi rancore – su queste cose contavo da un pezzo. Non potevo nemmeno indignarmi. Lei mi trattava come fossimo sposati.

Discorrevamo a bassa voce, benché Dino non potesse sentirci. Incespicava e già dormiva. Sbuffò come stesse sognando. Gli presi il cranio con la mano e lo sospinsi. Mi sentii sotto le dita me stesso ragazzo, quei corti capelli, la nuca sporgente. Cate capiva queste cose?

– Chi sa se Dino somiglia a suo padre, – le dissi. – Gli piace girare nei boschi, stare solo. Scommetto che quando lo baci si pulisce la faccia. Qualche volta lo baci?

– È un muletto, è una bestia testarda, – disse Cate. – Strappa tutto. A scuola fa sempre la lotta con tutti. Non è mica cattivo.

– A scuola studia volentieri?

– Fin che posso l'aiuto, – disse Cate. – Sono cosí contenta che un altr'anno cambieranno i programmi. Lui studiava e imparava anche quello che non doveva.

Disse questo imbronciata, mi fece sorridere.

– Non pensarci, – le dissi, – tutti i ragazzi voglion fare la guerra.

– Ma che bellezza, – disse Cate, – quel che è successo. Sembra di nascere quest'oggi, di guarire.

Tacemmo un poco, ciascuno ai suoi pensieri. Dino sbuffò, grugní qualcosa. Gli presi la mano, lo tirai al mio fianco.

– E finito un altr'anno, che scuole farà?

– Voglio che studi fin che posso, – disse Cate, – che diventi qualcuno.

– Ma ne avrà voglia?

– Quando tu gli spiegavi dei fiori era felice, – disse Cate, – gli piace imparare.

– Non fidarti. In queste cose i ragazzi si divertono come a fare la guerra.

Mi guardò sorpresa.

– Prendi me, – le dissi. – Anch'io da ragazzo studiavo le scienze. E non sono diventato nessuno.

– Cosa dici? Tu hai la laurea, sei professore. Vorrei saper io le cose che sai.

– Esser qualcuno è un'altra cosa, – dissi piano. – Non te l'immagini nemmeno. Ci vuole fortuna, coraggio, volontà. Soprattutto coraggio. Il coraggio di starsene soli come se gli altri non ci fossero e pensare soltanto alla cosa che fai. Non spaventarsi se la gente se ne infischia. Bisogna aspet-

tare degli anni, bisogna morire. Poi dopo morto, se hai fortuna, diventi qualcuno.

— Sei sempre lo stesso, — bisbigliò Cate. — Per non farle,
ti rendi le cose impossibili. Io voglio soltanto che Dino abbia un buon posto nella vita, che non gli tocchi lavorare come un cane e maledirmi.

— Se davvero speri nella rivoluzione, — le dissi, — ti dovrebbe bastare un figliolo operaio.

Cate si offese e s'imbronciò. Poi mi disse: — Vorrei che
studiasse e diventasse come te, Corrado. Senza scordarsi di
noialtri disgraziati.

Quella notte l'Elvira mi aspettava al cancello. Non mi
chiese se avevo già cenato. Mi trattò freddamente, come si
tratta uno spensierato che si è messo nei pericoli e ci ha fatto penare. Non mi chiese che cosa avessi fatto a Torino.
Disse soltanto che loro mi avevano sempre ben trattato e
credevano di avere diritto a un riguardo, a un pensiero. Padrone di andarmene con chiunque, disse. Ma almeno avver-
tissi.

— Che diritti, — risposi seccato. — Nessuno ha diritti. Abbiamo quello di crepare, di svegliarci bell'e morti. Con quel
che succede.

L'Elvira nel buio guardava oltre le mie spalle. Taceva.
Mi accorsi con terrore che le guance le brillavano di lacrime.

Allora persi del tutto la pazienza. — Siamo al mondo per
caso, — dissi. — Padre, madre e figliuoli, tutto viene per caso. Inutile piangere. Si nasce e si muore da soli...

— Basta volere un po' di bene, — mormorò lei, con quella
voce autoritaria.

IX.

Per molti giorni non discesi a Torino; mi accontentavo dei giornali e della nuova libertà di ascoltare e inveire. Da ogni parte fiorivano voci, pettegolezzi, speranze. Lassú nelle ville nessuno pensava a una cosa: il vecchio mondo non l'avevano schiacciato gli avversari, s'era ucciso da sé. Ma c'è qualcuno che si uccida per sparire davvero?

L'Elvira l'indomani era già calma; mi conosceva troppo bene. Solamente, vedendomi arrossiva. La madre provò a canzonarci insieme; risposi un cosí secco « Ci manca anche questa » che le cadde la voglia, e l'Elvira impietrí come una vedova in lutto. Poi mi diede degli sguardi da cane fedele, da sorella paziente, da vittima. Poveretta, non mentiva; soffriva, questo sí. Ma che farci? rimpiansi d'avere scherzato con lei su quei fiori: era questo che l'accaldava e le dava le smanie.

Mentre di notte si aggirava per la casa, io cercavo di captare tutte le radio possibili. Era ormai chiaro che la guerra continuava, e senza scopo. La tregua aerea era già finita; gli alleati annunciavano nuove incursioni. Aprivo una porta e trovavo l'Elvira, che mi chiedeva bruscamente le notizie del mondo. Era il suo grande sotterfugio per parlarmi; a questo patto avrebbe voluto che la guerra non finisse mai piú; s'era accorta in quel giorno che, accennando le cose a cambiare, le sfuggivo di mano.

Il mio sollievo era di giorno, le Fontane – Cate e Dino. Non avevo nemmeno bisogno di presentarmi nel cortile: mi bastava aggirarmi per i sentieri consueti, sapere che Dino era là. Qualche volta riuscivo a tener Belbo accucciato, e non visto spiavo sopra la siepe. C'era il vecchio, l'oste, che sciacquava damigiane masticando la cicca. Era basso, tarchiato, entrava e usciva dalla cantina, soffermandosi a raccogliere un chiodo, a studiare la griglia, a raddrizzare un tralcio di vite sul muretto. A vederlo, pareva impossibile che ci fosse la guerra, che qualcosa contasse piú del chiodo, del muretto, della campagna lavorata. Si chiamava Gregorio. La nonna di Cate, invece, levava sovente nel pomeriggio una voce stridula che pareva una gazza; s'irritava con Dino, coi vicini, con le cose del mondo. In quei giorni che Fonso e Nando e le ragazze passavano la notte a Torino, era quello l'unico segno di presenza alle Fontane, anche a sera quando Cate arrivava. Pareva un luogo abbandonato, senza vita, una parte del bosco. E come succede di un bosco, si poteva soltanto spiarlo, fiutarlo; non viverci o possederlo a fondo.

Quando chiedevo a Dino se disegnava ancora, lui alzava le spalle, e dopo un poco mi portava il quaderno. Allora parlavamo di uccelli, di cavallette, di strati geologici. « Perché, – mi chiedevo, – non posso fargli compagnia come prima, quando nemmeno immaginavo questa faccenda? » Se adesso Dino mi accettava senza molto entusiasmo, era perché gli stavo troppo alle costole, perché mi facevo suo padre. Strana cosa, pensai, coi bambini succede come succede con gli adulti: si disgustano a troppo accudirli. L'amore è una cosa che secca. Ma erano amore le smanie dell'Elvira per me, le mie chiacchiere con Dino e il farmi ragazzo per lui? Esistono amori che non siano egoismo, che non vogliono ridurre l'uomo o la donna al proprio comodo? Cate lasciava che facessi, che prendessi il suo posto accanto a Dino, che girassimo i boschi. Ci dava un'occhiata a sera arrivando, impenetrabile, canzonatoria, e ascoltava tranquilla le vanterie di Dino. A volte pensavo che anche lei ci trovasse il suo comodo. Dino imparava e profittava frequentandomi.

Una cosa che lo esaltava erano i mostri preistorici e la vita dei selvaggi. Gli portai altri libri illustrati, e giocavamo a immaginarci che in quella conca sul sentiero del Pino, tra i muschi e le felci, in mezzo agli equiseti, fosse la tana dei megateri e dei mammut. Lui propendeva per le storie di congiure scientifiche, di macchine infernali, di popolazioni meccaniche; le aveva lette sui suoi album settimanali. A Torino, in cortile, stava tuttora un suo amico di scuola, Cruscotto, che passava le giornate in cantina a ritagliare l'alluminio e la latta, e appendeva dei fili, attrezzava tutto un sistema sotterraneo per difendere il caseggiato. Erano in pochi, tutti scelti. Si parlava di Gordon, degli Uomini Gialli, del dottor Misteriosus. Al tempo dei primi allarmi avevano fatto esperimenti, tenuto consigli di guerra. C'era con loro anche Sybil, la ragazza dei leopardi, ma diverse bambine facevano Sybil e non c'era nemmeno bisogno di averle nel sotterraneo: i nemici rapivano Sybil e si doveva liberarla. Dino raccontò queste cose in presenza di Cate e della vecchia: si agitò, contraffece le voci e gli spari, ci prese in giro tutti quanti. Canzonava specialmente le scene con Sybil. Io sapevo il perché.

Quando andavamo noi due soli, era diverso. Dino di Sybil non parlava. Lo capivo. Tra uomini una ragazza è sempre qualcosa di indecente. Cosí era stato anche per me, una volta. Sbucavamo tra le piante, scrutandoci intorno. Dove per Dino era questione di tribú, d'inseguimenti, di colpi di lancia, io vedevo le belle radure, lo svariare dei versanti, l'intrico casuale di un convolvolo su un canneto. Ma una cosa avevamo comune: per noi l'idea della donna, del sesso, quel mistero scottante, non quadrava nel bosco, disturbava. A me che le forre, le radici, i ciglioni, mi richiamavano ogni volta il sangue sparso, la ferocia della vita, non riusciva di pensare in fondo al bosco quell'altro sangue, quell'altra cosa selvaggia ch'è l'amplesso di una donna. Tutt'al piú i fiori rossi dell'Elvira, che mi facevano ridere. Anche Dino rideva – perché? – delle donne, di Sybil. Diventava goffo, alzava le spalle, si schermiva. Che cosa sapeva? Istinto o esperienza, eravamo gli stessi. Mi piaceva quella tacita intesa.

Gli allarmi e i passaggi d'aerei ricominciarono presto. Vennero i primi temporali, ma dal cielo lavato la luna d'agosto illuminava fin le bocche dei tombini. Fonso e gli altri ricomparvero. – Questi scemi d'inglesi, – dicevano. – Non lo sanno che basta un'incursione per guastare il lavoro clandestino di un mese? Quando brucia la casa ci tocca scappare anche a noi.

– Lo sanno benissimo. Non vogliono il nostro lavoro, – disse Nando. – Sono tutti d'accordo.

C'era tra noi, quella sera, anche il gigante dalla tuta. Si chiamava Tono. Disse: – La guerra è sempre guerra, – e scosse il capo.

– Fate ridere, – dissi. – Noi siamo un campo di battaglia. Se gli inglesi han demolito la baracca del fascismo, non è mica per farci una villa e darla a noi. Non vogliono ingombri sul campo di tiro, ecco tutto.

– Ma noi ci siamo, – disse Fonso, – e non è facile levarci di mezzo.

– Non è facile? Basta bruciare le stoppie. Lo stanno facendo.

Disse Nando: – La guerra è un lavoro di talpe. Basta ficcarsi sottoterra.

– E fatelo allora, – gridai. – Nascondetevi e smettetela. Fin che in Italia c'è un tedesco, sarà inutile pensarci.

La Giulia – o un'altra, non ricordo – disse: – È arrabbiato il professore.

Disse Cate: – Chi ti chiede di muoverti?

Tutte le facce mi guardavano. Anche Dino.

Ogni volta giuravo di tacere e ascoltare, di scuotere il capo e ascoltare. Ma quel cauto equilibrio d'ansie, di attese e di futili speranze in cui adesso trascorrevo i giorni, era fatto per me, mi piaceva: avrei voluto che durasse eterno. L'impazienza degli altri poteva distruggerlo. Da tempo ero avvezzo a non muovermi, a lasciare che il mondo impazzisse. Ora, un gesto di Fonso e dei suoi bastava a mettere ogni cosa in forse. Ecco perché mi ci arrabbiavo e discutevo.

– Da quando è caduto il fascismo, – dissi, – non vi si sente piú cantare. Come mai?

– Su, cantiamo, – dissero le ragazze. Si levarono voci – vecchie canzoni di ieri –; Dino attaccò *Bandiera rossa*. Ne cantammo una strofa, inquieti, ridendo; ma già la discussione riprendeva. Disse Tono, il gigante: – Quando saremo alle elezioni, ci sarà da lavorare.

Fu in una di quelle sere che la vecchia di Cate, mentre in cortile aspettavamo che finisse un allarme, mi disse la sua. Avevo appena detto a Fonso: – Se gli italiani hanno da prendere sul serio le cose, ce ne vorranno delle bombe –. Disse la vecchia: – Venite a dirlo a chi lavora. Per chi ha la pagnotta e può stare in collina, la guerra è un piacere. Sono la gente come voi che ha portato la guerra –. Lo disse tranquilla, senz'ombra di rancore, come fossi suo figlio.

Lí per lí non patii. – Fossero tutti come lui, – diceva Cate. Io non risposi. – La pelle è la pelle, che storie, – entrò Fonso.

– Anche noi, mamma, – disse Cate, – veniamo a dormire in collina.

La vecchia adesso borbottava. Io mi chiesi smarrito se sapeva quanto giusto e quanto a fondo mi avesse toccato. Non contavano le difese degli altri. C'era un senso in cui anch'esse mi avvilivano.

Disse Tono il socialista: – Tutti si cerca di salvarsi. Noi

combattiamo perché tutti, anche i padroni, anche i nostri nemici, capiscano dov'è la salvezza. Per questo il socialismo non vuole piú guerre.

E Fonso subito: – Momento. Ma non dici perché tocca sempre alla classe operaia difendersi. I padroni mantengono il dominio con le guerre e il terrore. Schiacciandoci, tirano avanti. E tu t'illudi che capiscano. Han capito benissimo. Per questo continuano.

Allora rientrai nel discorso. – Non parlo di questo. Non parlo di classi. Fonso ha ragione, si capisce. Ma noialtri italiani siamo fatti cosí: ubbidiamo soltanto alla forza. Poi, con la scusa ch'era forza, ci ridiamo. Nessuno la prende sul serio.

– I borghesi no certo.

– Dico di tutti gli italiani.

– Professore, – esclamò Nando a testa bassa, – voi amate l'Italia?

Di nuovo ebbi intorno le facce di tutti: Tono, la vecchia, le ragazze, Cate. Fonso sorrise.

– No, – dissi adagio, – non l'Italia. Gli italiani.

– Qua la mano, – disse Nando. – Ci siamo capiti.

## x.

Notti dopo, Torino andò in fiamme. Durò piú di un'ora. Ci pareva di avere sul capo i motori e gli scoppi. Caddero bombe anche in collina e nel Po. Un apparecchio mitragliò inferocito una batteria antiaerea – si seppe l'indomani che diversi tedeschi erano morti. – Siamo in mano ai tedeschi, – dicevano tutti, – ci difendono loro.

La sera dopo, altra incursione, piú tremenda. Si sentivano le case crollare, tremare la terra. La gente scappava, tornarono a dormire nei boschi. Le mie donne pregarono fino all'alba, inginocchiate su un tappeto. Scesi a Torino l'indomani tra gli incendi, e dappertutto s'invocava la pace, la fine. I giornali si scambiavano ingiurie. Girava la voce che i fascisti rialzavano il capo, che il Veneto si riempiva di divisioni tedesche, che i nostri soldati avevano ordine di sparare sulla folla. Dalle prigioni, dal confino, sbucavano i detenuti politici. Il papa fece un altro discorso invocando l'amore.

Passò una notte tranquilla, in tensione paurosa (toccò a Milano, questa volta), poi di nuovo una notte di fuoco e di crolli. Le radio nemiche lo ripetevano ogni sera: « Sarà cosí tutte le notti fino all'ultimo. Arrendetevi ». Adesso nei caffè, per le strade, si discuteva solamente del modo. La Sicilia era tutta occupata. « Trattiamo, – dicevano i fascisti superstiti, – ma che prima il nemico sgombri il suolo della patria ». Altri imprecavano ai tedeschi. Tutti attendevano uno sbarco sotto Roma, sotto Genova.

Rientrando in collina, sentivo quanto fosse precario il rifugio lassú. Il silenzio dei boschi aveva l'aria di un'attesa. Anche il cielo era vuoto. Avrei voluto esser radice, essere verme, e sprofondare sottoterra. M'irritava l'Elvira funerea con quella voce e quelle occhiaie. Capivo bene la durezza di Cate, che queste cose non voleva piú sentirle. Non era stagione d'amori, per noi non era mai stata. Tutti gli anni tra-

scorsi ci portavano qui, a questa stretta. Senza saperlo, a
modo nostro, Gallo, Fonso, Cate, tutti, eravamo vissuti nel-
l'attesa di quest'ora, preparandoci a questo destino. La
gente che come l'Elvira s'era fatta sorprendere inerme m'irritava soltanto. Preferivo Gregorio, che almeno era vecchio,
era come la terra, come gli alberi. Preferivo Dino, grumo
oscuro d'un chiuso avvenire.

La ragazza Egle mi diede la notizia che suo fratello era
tornato a combattere. Anche questo era un giusto destino.
Che cos'altro poteva fare quel ragazzo? Come lui ce n'eran
molti, che non credevano alla guerra, ma la guerra era il
loro destino – dappertutto era guerra, e nessuno gli aveva
insegnato a far altro. Giorgi era un uomo taciturno. Aveva
detto solamente: – Il mio dovere è lassú, – e ripreso a combattere. Non protestava, non cercava di capire.

Chi protestava, e non capiva lo stesso, erano i suoi. Lo
seppi dall'Egle che ogni mattina passava davanti al cancello
in cerca di latte, di uova, di chiacchiere. Si fermava a parlare con la vecchia o con l'Elvira, e nelle voci, nei bisbigli,
sentivo l'eco del salotto dei Giorgi, del mondo ben noto,
dello studio del padre possidente e industriale. Come andava la guerra? Peggio di prima. Che cosa avevano fatto i
fascisti lasciandosi rovesciare? Un atto grande, generoso,
un sacrificio per ridare concordia al paese. E in che modo
rispondeva il paese? Rispondeva con scioperi, tradimenti
e ricatti. Continuassero pure. C'era chi ci pensava. Tutto
sarebbe andato a posto prima di quanto si credeva.

Cosí brontolava la madre di Elvira, cosí cominciò l'Egle,
che vedeva tutti e sapeva ogni cosa di tutti. « Noialtri », diceva, e noialtri era il padre, era il salotto, era la villa. – Chi
piú di noialtri ha sofferto della guerra? La nostra casa di
Torino è sinistrata. Il portinaio c'è rimasto. Ci tocca vivere quassú. Mio fratello è tornato a combattere. Da due
anni si espone e combatte. Perché questi sovversivi ce l'hanno con noi?

– Che sovversivi?

– Ma tutti. La gente che ancora non capisce perché siamo in guerra. I teppisti. Ne conosce anche lei.

Disse questa, strizzandomi gli occhi e reclinando il capo,
com'era il suo vezzo.

– Non conosco teppisti, – tagliai, – conosco gente che
lavora.

– Ecco, s'arrabbia, – mi guardò divertita. – Sappiamo
che va all'osteria, sappiamo chi ci trova...

– Cose da pazzi, – tagliai corto, – e chi sarebbero i teppisti?

Egle tacque, e abbassò gli occhi con un'aria sostenuta.

– Di teppisti, – le dissi, – conosco soltanto quelli che ci
hanno messo in guerra e che ancora ci sperano.

Mi fece gli occhiacci, ansimando. Pareva una scolara presa in fallo e inferocita.

– Suo fratello non c'entra, – le dissi. – Suo fratello è un
illuso, che paga per gli altri. Ma almeno ha coraggio. Che
quegli altri non hanno.

– Lei ne ha molto, – disse l'Egle, rabbiosa.

Cosí ci lasciammo. Ma la storia dell'osteria cominciava
appena. Un giorno che entrai in cucina e l'Elvira sbatteva
una panna (era il suo regno la cucina, e voleva sedurmi col
dolce; ma la madre non vedeva di buon occhio lo spreco),
le dissi: – Qui la fame non arriva.

Lei rialzò il capo. – Non si trova piú niente. Né uova né
burro, neanche a pagarli. Comprano tutto questa gente che
prima mangiavano patate bollite.

– Ne avessimo sempre, – risposi.

L'Elvira andò al fornello, corrugando la fronte. Mi voltava la schiena.

– Comprano tutto le osterie dove si passa la notte a far
baldoria.

– E si dorme per terra, – dissi.

– Io non voglio sapere, – sbottò l'Elvira voltandosi.
– Ma non è gente come noi.

– Credo bene, – le dissi, – vale molto piú di noi.

Si teneva la gola, con gli occhi indignati.

– Se è per le donne e per il vino, chieda a Belbo, – ripresi, – lui va d'accordo come me con questa gente. Non ci
sono che i cani per giudicare il prossimo.

– Ma sono...

– Sovversivi, lo so. Meno male. Crede che al mondo non
ci stiano che i preti e i fascisti?

Perché dicessi queste cose, l'ho scordato da un pezzo. So
soltanto che Cate non s'era sbagliata dicendomi ch'ero cattivo, superbo e che avevo paura. Aveva anche detto ch'ero
buono contro voglia. Questo non so. Ma con ciascuno dicevo cose opposte, cercavo sempre di sembrare un altro. E
sentivo che il tempo stringeva; che tutto era inutile, vano,

già scontato. Quel mattino del battibecco con l'Elvira, ci fu un allarme repentino, a mezzogiorno. La collina, la valle, Torino in distanza, tutto zittí sotto il cielo. Ero fermo in frutteto. Mi chiesi quanti cuori in quell'attimo cessavano di battere, quante foglie sussultavano, quanti cani s'appiattivano al suolo. Anche la terra, la collina e la sua scorza, dovette rabbrividire. Capii d'un tratto quanto fosse sciocco e futile quel mio compiacermi dei boschi, quell'orgoglio dei boschi che nemmeno con Dino smettevo. Sotto il cielo d'estate impietrito dall'ululo, capii che avevo sempre giocato come un ragazzo irresponsabile. Che cos'ero per Cate altro che un bimbo come Dino? Che cos'ero per Fonso, per gli altri, per me?

Attesi un pezzo con tremore e ansia il ronzio dei motori. L'angoscia dei giorni, insopportabile in quell'ora, solamente un fatto grosso, irreparabile, poteva cacciarla. Ma non era questo il mio solito gioco, il mio vizio? Pensai a Cate, Fonso, Nando, ai disgraziati di Torino, che attendevano ammucchiati nei rifugi come in tante catacombe. Qualcuno scherzava, qualcuno rideva. – La pasta viene lunga, – dicevano.

Sangue e ferocia, sottosuolo, la boscaglia: queste cose non erano un gioco? Non erano come i selvaggi e i giornaletti di Dino? Se Cate morisse, pensavo, chi pensa a suo figlio? chi saprà piú se è figlio suo o figlio mio?

Lo strepito di una pompa mi fece sobbalzare. Venne fuori l'Elvira e disse: – È in tavola.

Silenziosi – con l'allarme la radio taceva – ci sedemmo, l'Elvira di fronte, la vecchia a lato, come sempre. La vecchia si fece il segno della croce. Nessuno parlò. Snodare il tovagliolo, toccar le posate, mangiare, mi parve un gioco, un gioco futile. Verso l'una cessò l'allarme. Sobbalzammo, quasi sorpresi. L'Elvira mi mise nel piatto un'altra fetta di torta.

## XI

L'estate finiva. Si cominciavano a vedere contadine per i campi, e le scalette contro i tronchi dei frutteti. Adesso con Dino non uscivamo dal prato: c'eran le pere, c'era l'uva, c'era il campo di meliga. Venne la nuova dello sbarco in Calabria. La notte, discussioni accanite. Il fatto grosso, irreparabile, accadeva. Dunque proprio nessuno tentava nulla? Dovevamo finire cosí?

L'otto settembre ci sorprese che con Gregorio abbacchiavamo le noci. Prima passò sulla strada un autocarro militare, che ululava alle curve e levò un polverone. Veniva da Torino. Dopo un attimo, altro schianto e altro fragore: un secondo autocarro. Ne passarono cinque. La polvere giunse fin tra le piante, nell'aria limpida della sera. Ci guardammo in faccia. Dino corse in cortile.

Sull'imbrunire giunse Cate. — Non sapete? — gridò dalla strada. — L'Italia ha chiesto oggi la pace.

Alla radio la voce monotona, rauca, incredibile, ripeteva macchinalmente ogni cinque minuti la notizia. Cessava e riprendeva, ogni volta con uno schianto di minaccia. Non mutava, non cadeva, non aggiungeva mai nulla. C'era dentro l'ostinazione di un vecchio, di un bambino che sa la lezione. Nessuno di noi disse nulla lí per lí, tranne Dino che batté le mani. Restammo sconcertati, come prima al passaggio dei cinque autocarri.

Cate ci disse che a Torino nei caffè e per le strade radio-Londra sbraitava e grandi crocchi applaudivano. C'era stato uno sbarco a Salerno. Si combatteva dappertutto. — A Salerno? non a Genova? — C'eran cortei, dimostrazioni.

— Non si capisce cosa facciano i tedeschi, — disse Cate. — Se ne andranno, sí o no?

— Non sperarci, — le dissi, — neanche volendo non potrebbero.

— Tocca ai nostri soldati, — disse la vecchia, — tocca a loro adesso.

Il vecchio Gregorio taceva, senza perdermi di vista. Era anche lui come un bambino stupefatto. Mi lampeggiò la buffa idea che anche il vecchio maresciallo che quella sera ci buttava allo sbaraglio, anche i suoi generali, ne sapessero quanto Gregorio e stasera pendessero smarriti dalla radio come me e come lui.

— Ma a Roma, — dissi, — a Roma che cosa succede?

Nessuna radio ce lo disse. Cate aveva sentito in città che a quest'ora gli inglesi l'avevano occupata, che bastava un migliaio di paracadutisti per congiungersi coi nostri e far fronte ai tedeschi. — Saranno scemi, quei ministri, ma alla pelle ci tengono. L'hanno previsto, sta' sicuro, — disse Cate.

— E Nando e Fonso, — chiesi a un tratto, — non arrivano? È questo che han sempre voluto. Saranno contenti.

— Non li ho veduti, — disse Cate. — Sono corsa a parlarvi.

Nando e Fonso non vennero quella sera. Venne Giulia ansimante. Disse che in fabbrica c'era stato comizio per raccogliere armi, che Fonso aveva fatto un discorso, che si parlava di occupare le caserme. In periferia s'eran sentite fucilate. Si sapeva che bande di borsari neri avevano saccheggiato un magazzino militare, che i tedeschi vendevano le divise ai fascisti e scappavano travestiti.

— Torno a Torino, — disse Giulia. — Arrivederci.

— Di' a quelle altre che vengano su, — gridò la vecchia. — Dillo a Fonso, a quei matti. Vanno a succedere dei brutti giorni.

— Non è niente, — disse Cate esaltata. — Questa volta finisce davvero. Basta resistere pochi giorni.

— Non ci saranno piú incursioni, — dissi brusco.

Quando fui per andarmene a cena, Dino ci fece rider tutti. — È finita la guerra? — domandò con un filo di voce.

L'indomani ero in piedi all'alba. Di Roma, nessuna notizia. La nostra radio trasmetteva canzonette. Dall'estero, i soliti bollettini di guerra. Lo sbarco a Salerno, lo specchio d'acqua brulicante di trasporti: l'operazione era tuttora in corso. L'Elvira ascoltò accanto a me, tesa e pallida. Facevamo gruppo, davanti alla radio. Dissi a un tratto: — Non so quando torno, — e me ne andai.

Per riempire la vuota mattina presi la strada di Torino. Incontrai qualche raro passante, un ciclista che saliva affaticato. Tra i versanti, in fondo, Torino fumava tranquilla.

Dov'era la guerra? Le notti di fuoco parevano una cosa remota, già incredibile. Tesi l'orecchio se si sentivano autocarri.

A Torino i giornali portavano in grossi titoli la resa. Ma la gente aveva l'aria di pensare ai fatti suoi. Negozi aperti, le guardie civiche ai crocicchi, i tram correvano. Nessuno parlava di pace. All'angolo della stazione un gruppetto di tedeschi disarmati caricava mobilio su un camion: sfaccendati assistevano al trasloco. «Non si vedono i nostri, – pensai. – Sono tutti consegnati in caserma per lo stato d'assedio».

Tendevo l'orecchio e sbirciavo negli occhi i passanti. Tutti andavano chiusi, scansandosi. «Forse è stata smentita la notizia di ieri e nessuno vuol ammettere di averci creduto». Ma due giovanotti sotto il portico del Cristallo gridavano in mezzo a un crocchio e accendevano un giornale spiegato che un cameriere voleva riprendergli. Qualcuno rideva.

– Sono fascisti, – disse un altro, sull'angolo, tranquillo.

– Picchiateli, ammazzateli, – urlava una donna.

Le notizie le seppi sulla porta del bar. I tedeschi occupavano le città. Acqui, Alessandria, Casale erano prese. – Chi lo dice? – I viaggiatori in arrivo.

– Se fosse vero, non andrebbero i treni, – dissi.

– Non conosce i tedeschi.

– E a Torino?

– Verranno, – disse un altro ghignando, – a suo tempo. Fanno tutto con metodo. Non vogliono disordini inutili. I massacri li faranno con calma.

– Ma nessuno resiste? – dissi.

Sotto il portico crebbero gli urli e il tumulto. Uscimmo fuori. Uno dei due, in piedi su un tavolino, arringava la gente, che assisteva beffarda o scantonava. Due si picchiavano contro un pilastro, e la donna strillando insolenze cercava d'intromettersi. – Il governo della vergogna, – gridava l'oratore, – del tradimento e della disfatta, vi chiede di consumare l'assassinio della patria –. Il tavolino traballava; dalla folla si levarono invettive.

– Venduto ai tedeschi, – gridavano.

C'erano dei vecchi, delle serve, dei ragazzi, un soldato. Pensavo a Tono e a quel che avrebbe detto lui. Urlai qualcosa all'oratore anch'io, e in quel momento la folla ondeggiò e si scompose, qualcuno gridava: – Fate largo o vi ammazzo –. Rintronarono due colpi, fragorosi sotto il portico; la gente cadde, si squagliò; tintinnarono i vetri in frantumi; e lontano, in mezzo alla piazza, vidi ancora quei due che si davano calci, e la donna assalirli.

Quei due spari mi cantarono a lungo nel cervello. Mi allontanai per non farmi sorprendere ma adesso sapevo perché la gente non parlava e scantonava. Andai alla mia scuola, nella via tranquilla e vuota. Speravo di trovarci qualcuno, visi noti. « Fra un mese ci saranno gli esami », pensavo. Il vecchio Domenico mise fuori la testa.

– Novità, professore? Ci portate la pace?

– La pace è un uccello. È già venuta e ripartita.

Domenico scosse la testa. Batté la mano sul giornale.

– Non basta dirle certe cose.

Dei tedeschi non aveva sentito dir nulla. – Ci sanno fare, – disse subito, – ci sanno. Ma neh, professore, che tempi quando c'era quell'altro –. Abbassò la testa e la voce. – Avete sentito cosa dicono? Che deve tornare.

Mi allontanai con quella nuova spina in corpo. C'era un'intesa tra me e Cate, che ogni giorno lei scendeva dal tram e si guardava intorno, se per caso fossi sceso a Torino. Mi misi sull'angolo e attesi. Passò l'ora e non venne. Sentii invece altri discorsi, e confermavano la voce che i tedeschi occupavano i centri e disarmavano i nostri. – Ma resistono i nostri? – Chi sa. A Novi c'è stata battaglia. – Si capisce. Sono a Settimo. Un'intera divisione corazzata che avanza.

– Ma cosa fa il nostro Comando?

Un caffè accanto aprí la radio e dopo molto raschiare si sentí una canzone ballabile. Si formò un crocchio. – Prendi Londra, – gridavano. Venne Londra, in francese; poi altri raschi esasperanti. Una voce italiana, da Tunisi. Lesse eccitata un bollettino, sempre il solito. L'avanzata dei russi, lo sbarco a Salerno; l'operazione era tuttora in corso. – Cosa dicono a Roma? – gridammo. – Cosa succede in casa nostra? Vigliacchi.

– A Roma ci sono i fascisti, – strillò una voce.

– Vigliacchi, venduti.

Sentii prendermi il braccio. Era Cate. Sorrideva il suo vecchio sorriso. Uscimmo dal crocchio.

– Te ne sei ricordata, – dissi.

Traversammo la piazza. Cate parlava a voce bassa e sorrideva freddamente.

– La situazione è da matti, – disse. – È la giornata piú tremenda della guerra. Il governo non c'è. Siamo in mano ai tedeschi. Bisogna resistere.

Correvamo oltre Dora. – Cosa vuoi fare? – le dicevo. – È questione di giorni. Interessa agli inglesi far presto. Piú che a noi.

– Hai sentito la radio tedesca? – disse Cate. – Trasmettono gli inni fascisti.

Arrivammo in quel cortile del comizio. Sembrava ieri, era passato piú di un mese. Non c'era nessuno. Cate parlò con le vicine, dal balcone.

Finalmente arrivarono Giulia e la sposa di Nando. – Non sono tornati? – La sposa di Nando s'abbandonò contro la porta. – Sta' tranquilla, – le dissero. – Vuoi che un uomo torni a casa a far cosa quest'oggi? Era un po' peggio in Albania.

Lei esclamò: – Sono ragazzi, sono matti.

Riaprimmo la radio. Nessuna notizia.

– Se si fanno arrestare, – gemeva la sposa, – poi i tedeschi li hanno in mano.

– Scema, – le gridò Cate, – non li hanno ancora presi.

Mi dissero allora che nella notte un pattuglione aveva rotto un comizio, e che Tono era stato arrestato. – Hanno voluto liberarlo, – disse Giulia, – vedrai.

Cate doveva ritornare all'ospedale. Mangiammo qualcosa, seduti sul letto.

– Vengo anch'io, – le dissi. Chi non mangiava era la sposa: camminava in su e in giú nella stanza. « E sembrava la piú coraggiosa, – pensai. – Non sono tempi da sposarsi. Meglio Cate che almeno non vuol bene a nessuno ».

Andammo insieme verso il tram. Cate mi disse: – Torni a casa?

Poi guardandosi intorno: – Nessuno si muove. Nemmeno un soldato. Che schifo.

– Noi siamo un campo di battaglia, nient'altro. Non illuderti.

– Tu te ne infischi; – mormorò senza guardarmi, – ma hai ragione. Non hai mai visto far la fame né bruciare casa tua.

– Sono queste le cose che dànno coraggio?

– Te lo diceva anche la nonna. Voialtri non potete capire.

– *Voialtri* non posso esser io, – tagliai. – Io sono solo.

Cerco d'essere il piú solo possibile. Sono tempi che soltanto chi è solo non perde la testa. Guarda la Nanda come stringe.

Cate si rabbuiò fermandosi. — No, tu non sei come la Nanda, — disse. — Non ti scomodi, tu. Ci vediamo stasera.

— Torna presto, — gridai.

Di nuovo la strada, il frutteto, le donne. La collina fresca e tranquilla, i discorsi consueti. — Forse i tedeschi non verranno fin quassú, — dissi all'Elvira. Chiesi dell'Egle, se era sempre ficcanaso.

— Perché?

— Lo sappiamo bene, — dissi.

Con uno sforzo ascoltai radio-Monaco. I fascisti rialzavano la testa davvero. Voci rabbiose, minacciose. Incitavano il popolo. — Sono ancora in Germania, è buon segno —. Che radio-Roma non parlasse, mi fece quasi piacere. Vuol dire che i nostri resistono, che i tedeschi non l'hanno ancora presa. La vecchia non diceva parola. Ci guardava spaventata e scontrosa.

Alle Fontane trovai Cate che mi disse di Fonso e di Nando. — Sono tornati, sono sani, — disse. — Ma non hanno potuto far nulla. Tono e gli altri sono chiusi alle Nuove.

Ma c'era anche un'altra notizia — che i nostri soldati scappavano, e nessuno si sognava di resistere.

XII.

Alzai le spalle anche stavolta. Le alzavo sovente in quei
giorni. Il finimondo sempre atteso era arrivato. Era chiaro
che Torino tranquilla in distanza, la solitudine nei boschi,
il frutteto, non avevano piú senso. Eppure tutto continuava. Sorgeva il mattino, calava la sera, maturava la frutta.
M'aveva preso una speranza, una curiosità affannosa: so-
pravvivere al crollo, fare in tempo a conoscere il mondo di
dopo.

Alzavo le spalle ma bevevo le voci. Se qualche volta mi
tappavo le orecchie, era perché sapevo bene, troppo bene,
quel che avveniva e mi mancava il coraggio di guardarlo in
piena faccia. La salvezza appariva questione di giorni, forse
di ore, e si stava attaccati alla radio, si scrutava il cielo, ci si
svegliava ogni mattina con un sussulto di speranza.

La salvezza non venne. Vennero, bisbigliate, le prime notizie di sangue. Ripensai a quell'osteria del Pino dove un
giorno di luglio avevo sentito per l'ultima volta abbassare la
voce, e ci tornai passo passo, guardandomi alle spalle. Giun-
gendo in un luogo, specie nell'abitato, adesso ci si guardava
alle spalle e si tendeva l'orecchio. Non erano ancora stati
introdotti i posti di blocco, ma già la minaccia, l'imprevisto,
pendevano ovunque. Le strade e le campagne formicolavano di fuggiaschi, di soldati infagottati in impermeabili,
stracci, giacchette, scampati dalle città e dalle caserme dove tedeschi e neo-squadristi infuriavano. Torino era stata
occupata senza lotta, come l'acqua sommerge un villaggio;
tedeschi ossuti e verdi come ramarri presidiavano la stazione, le caserme; la gente andava e veniva stupita che nulla accadesse, nulla mutasse; non tumulti, non sangue per le
vie; solamente, incessante, sommessa, sotterranea, la fiuma-
na di scampati, di truppa, che colava per i vicoli, nelle chiese, alle barriere, sui treni. Altre cose strane accadevano. Lo
seppi da Cate, da Dino, dai loro bisbigli e ammicchi d'inte-

sa. Fonso e gli altri incettavano armi, svaligiavano magazzini e ripostigli; qualcosa nascosero anche alle Fontane. Nei sobborghi, abiti borghesi piovevano dalle finestre sui soldati in fuga. Dove finivano quelli scampati ai tedeschi? Chi ci arrivava, si capisce, a casa sua; ma gli altri, i lontani da casa, i siciliani e calabresi, i risucchiati dalla guerra, dove passavano i giorni e le notti, dove si fermavano a vivere? – Qui se la guerra non finisce subito, – dissi all'Egle e all'Elvira, – ci diamo tutti al brigantaggio –. Lo dissi cosí, per vederle agitate. E aggiunsi: – Gli sta bene alle case borghesi, alle ville dei generali che si son messi coi tedeschi –. Ma poi discorrendo con Cate lei mi disse di smetterla. Seppi da Dino, ch'era sempre in strada, che alle Fontane ci passava molta gente – qualcuno intravidi anch'io, arrivando in certe ore – barbuti, stracciati, affamati. Qui c'era sempre o la Giulia o la moglie di Nando stesso, e i fuggiaschi parlavano, confabulavano, sbocconcellavano pane. Dino giurò ch'era passato anche un inglese, un prigioniero di guerra, che sapeva soltanto dire ciao.

Quel disordine ormai familiare, quel tacito dibattersi e franare di gente, era come uno sfogo, una brutta rivalsa alle notizie intollerabili della radio e dei giornali. La guerra infuriava lontano, metodica e inutile. Noi eravamo ricaduti, e questa volta senza scampo, nelle mani di prima, fatte adesso piú esperte e piú sporche di sangue. Gli allegri padroni di ieri inferocivano, difendevano la pelle e le ultime speranze. Per noi lo scampo era soltanto nel disordine, nel crollo stesso di ogni legge. Essere preso e individuato era la morte. La pace, una pace qualsiasi, che nell'estate c'era parsa augurabile, adesso appariva una beffa. Bisognava affrontare quel nostro destino fino in fondo. Come sembravano lontane le incursioni. Cominciava qualcosa di peggio degli incendi e dei crolli notturni.

Sentii parlarne all'osteria del Pino, dove arrivavo di soppiatto perché era un luogo di passaggio. Tendevo l'orecchio se si fossero visti tedeschi o fascisti. Ci trovai un mattino un soldato – aveva ancora gli scarponi e le fasce – dal consunto impermeabile sul torso nudo. Era un ragazzo di Toscana, rideva dal fondo degli occhi. Parlava, cianciava con noialtri avventori, e raccontava la sua marcia dalla Francia, dieci giorni di fuga, nominava i compagni, rideva, sperava di arrivare in Valdarno. Non ci chiese da mangiare né da bere. Era pallido, semibarbuto, ma si doveva esser già inteso con

la ragazza del locale che, infagottata e strabica, se lo covava
con gli occhi da dietro il banco.

— Il fondovalle era guardato da quei bastardi, — diceva. —
Mai passare in terreno scoperto. Sparavano. Ho veduto bruciare tanti paesi.

— Ma non c'è mica stata guerra su in montagna, — disse
un tale.

— Che guerra. Rappresaglie, — disse un altro. — Un paese
nasconde un soldato e i tedeschi gli dànno fuoco.

— Una notte, su un ponte... — raccontava il toscano, e sogguardava la ragazza.

Tutti ascoltammo, inghiottendo la saliva. Il toscano chiese una cicca, divertito. Vennero altre storie. Ne raccontaro-
no gli avventori, contadini pacati. Storie fredde, incredibili,
arresti di donne e bambini per prendere l'uomo, bastonatu-
re finite con un salto dalle scale, raccolti devastati, estorsio-
ni, cadaveri in piazza con la cicca tra le labbra.

— Era meglio la guerra, — dicevano. Ma tutti sapevamo
che la guerra era questa.

— Speriamo che il tempo si mantenga al bello, — disse il
toscano.

Andai sovente da solo per le strade consuete, evitando le
Fontane, Dino, Cate e i suoi discorsi; ma il discorso e l'affanno cui siamo ormai incalliti, rinascevano allora dappertutto, stimolati da un'ansia d'incredibilità, da una residua
speranza, da un egoismo ancora lecito. Ora che anche quei
giorni sembrano un sogno e salvarsi non ha quasi piú senso,
c'è in fondo a tutti gli incontri e i risvegli una pace dispe-
rata, uno stupore di esser vivi ancora un giorno, ancora
un'ora, che mette allegria. Non si hanno piú molti riguardi,
né per sé né per gli altri. Si ascolta, impassibili.

Senza volerlo, mi svegliavo all'alba e correvo alla radio.
Non ne parlavo con l'Elvira e con la madre. Scorrevo il giornale. Ogni notizia allontanava di mesi la fine. Torino in fondo alla valle mi faceva paura. Ormai nemmeno il fuoco e i
crolli – che non vennero – bastavano piú a spaventarci. La
guerra era scesa tra noi, dentro le case, per le vie, nelle prigioni. Pensavo a Tono, alla sua grossa testa china, e non
osavo chiedermi cosa fosse di lui.

L'Elvira e la madre mi trattavano materne, un po' torve,
sommesse. C'era una pace, in quella casa, un rifugio, un calore come d'infanzia. Certe mattine, alla finestra, guardando le punte degli alberi, mi chiedevo fin quando sarebbe

durato quel mio privilegio. Le tendine bianche, fresche, si
aprivano sulle foglie profonde e sul versante lontano dov'e-
ra un prato in mezzo ai boschi e forse qualcuno dormiva al-
l'addiaccio. Da quanti anni lo vedevo ogni mattina, verde d'erba o irrigidito nella neve? Sarebbero ancora esistite
queste cose, *dopo*?

Cercai di studiare, di leggere libri. Pensai di mettermi
con Dino e insegnargli le scienze. Ma Dino era anche lui
parte del mondo stravolto; Dino era chiuso, inafferrabile.
Mi ero accorto che stava piú volentieri con Fonso o con
Nando che con me. Dissi a Cate di mandarmelo alla villa
ogni mattina, di non lasciarlo cosí solo sulle strade: seduto
con me a un tavolo, si sarebbe applicato. Tanto le scuole
non le avrebbero nemmeno riaperte.

— Ma sí, – disse Nando, – te lo levi dai piedi. Che almeno
studi, lui che può.

Faceva già fresco, quella sera. Stavamo in cucina, tra le
pentole e il lavandino. Fonso non c'era e non c'erano le ragazze. Senza Fonso il discorso languiva. Piú nessuno parlava per discutere, in quei giorni. Quando eravamo cosí insieme, nella luce, li sbirciavo di sottecchi – le smorfie di Dino,
i silenzi delle donne – e la cosa piú viva, piú accesa, erano
gli occhi baldanzosi di Nando, quegli occhi giovani che della
guerra che avevano visto non serbavano traccia. Adesso sua
moglie era incinta – c'eran riusciti, senza letto e senza casa –
e in lui questa smania s'aggiungeva all'orgasmo della politica.

— Professore, farete scuola a mio figlio? – diceva ridendo, ma l'allegria, la speranza erano tese, disarmate; la moglie ci guardava imbronciata.

Me ne andavo al primo canto di grilli; il coprifuoco lassú
non arrivava, ma tant'è quei sentieri mi scottavano sotto.
Per le strade di Torino la notte crepitavano fucilate spaval-
de, i «chi va là» dei ragazzacci, dei banditi che tenevano
l'ordine – anche il gioco e la beffa ormai sapevano di sangue. Pensavo a Tono, già caduto in quelle mani, al sorriso
sornione di Fonso quando riparlava di lui. Fonso appariva
d'improvviso alle Fontane, qualche volta anche di giorno;
gli chiesi se l'orario all'officina gliel'avevano ritoccato apposta. Lui strizzò l'occhio e tirò fuori un permesso bilingue
da fattorino e guardiano notturno. Di tutti era il solo che
non si fosse innervosito in quell'ultimo mese, i suoi sarca-
smi s'eran fatti piú precisi e divertiti. Le uscite irrequiete,

le chiacchiere aggressive e sventate dei primi tempi, erano adesso un sorriso tagliente. Era chiaro che aveva un lavoro, un suo compito che lo prendeva fino in fondo, ma non ne parlava. Avendo tempo, discorreva volentieri. Era un uomo occupato.

Una sera che Fonso non c'era, discutemmo la guerra, sulle cartine dei giornali e sull'atlante che avevo portato per mostrarlo a Dino. Nient'altro che facessi per lui lo interessava; da tempo i suoi capricci puntavano sul ritorno in città dove ogni sera c'era Fonso, e altri ragazzi, e il coprifuoco, i tedeschi, la guerra. La confidenza che Fonso gli dava, i racconti di Nando sulla guerriglia nei Balcani, lo staccavano da me e dalle donne. Nando ci disse cose atroci sugli agguati e sulle rappresaglie nelle montagne della Serbia. – Dappertutto dove arrivano i tedeschi, finisce così. La gente comincia a scannarsi.

– Non è tanto i tedeschi, – dissi. – Sono paesi che al mercato ci si va col fucile anche in tempo di pace.

La vecchia, la nonna di Cate, si voltò dal lavandino a guardarci.

– Non sono i tedeschi allora? – brontolò la sorella di Fonso.

La vecchia disse: – Non è colpa dei tedeschi?

– Non è colpa dei tedeschi, – dissi. – I tedeschi hanno soltanto sfasciato la baracca, tolto il credito ai padroni di prima. Questa guerra è piú grossa di quello che sembra. Adesso è andata che la gente ha veduto scappare quelli che prima comandavano, e non la tiene piú nessuno. Ma, fate attenzione, non ce l'ha coi tedeschi, non soltanto con loro: ce l'ha coi padroni di prima. Non è una guerra di soldati, che domani può anche finire; è la guerra dei poveri, la guerra dei disperati contro la fame, la miseria, la prigione, lo schifo.

Di nuovo tutti mi ascoltavano, anche Dino.

– Prendete i nostri, – dissi ancora. – Perché non si sono difesi? Perché si son fatti acchiappare e spedire in Germania? Perché hanno creduto agli ufficiali, al governo, ai padroni di prima. Adesso che abbiamo di nuovo i fascisti, ricominciano a muoversi, e scapperanno in montagna, finiranno in prigione. È adesso che comincia la guerra, quella vera, dei disperati. E si capisce. Bisogna dir grazie ai tedeschi.

– Però accopparli, – disse Nando.

Dino mi guardava sempre, impressionato dal silenzio con cui tutti mi avevano ascoltato.

— Se non arrivano presto quegli altri, — borbottai, — finiremo anche noi come in Montenegro.

La vecchia ci gettava occhiatacce, acciottolando nei suoi piatti.

— Verrà il giorno, — dissi alzandomi, — che avremo i morti nei fossati, qui in collina.

Cate mi guardava, seria. — Sai tante cose, Corrado, — disse piano, — e non fai niente per aiutarci.

— Manda Dino domani a casa mia, — dissi ridendo, — gli insegnerò queste cose.

XIII.

Ormai non c'era piú dubbio. Accadeva da noi quel che da anni accadeva in tutta Europa – città e campagne allibite sotto il cielo, percorse da eserciti e da voci paurose. In quei giorni non moriva soltanto l'autunno. A Torino, sopra un mucchio di macerie, avevo visto un grosso topo, tranquillo nel sole. Tanto tranquillo che al mio avvicinarsi non aveva mosso il capo né trasalito. Era ritto sulle zampe e mi guardava. Degli uomini non aveva piú paura.

Veniva l'inverno e *io* avevo paura. Al freddo ero avvezzo – come i topi, come tutti – avvezzo a scendere in cantina, a soffiarmi sulle mani. Non erano i disagi, non le rovine, forse nemmeno la minaccia della morte dal cielo; bensí il segreto finalmente afferrato che potevano esistere dolci colline, una città sfumata di nebbie, un indomani compiaciuto, e in tutti gli istanti accadere a due passi le cose bestiali di cui si bisbigliava. La città si era fatta piú selvaggia dei miei boschi. Quella guerra in cui vivevo rifugiato, convinto di averla accettata, di essermene fatta una pace scontrosa, inferociva, mordeva piú a fondo, giungeva ai nervi e nel cervello. Cominciavo a guardarmi d'attorno, palpitando, come una lepre agli estremi. Mi svegliavo di notte, in sussulti. Pensavo a Tono, ai sogghigni di Fonso, alle congiure, alle torture, ai morti freschi. Pensavo ai paesi dove da piú di cinque anni si viveva in questo modo.

Anche i giornali – c'erano ancora dei giornali – ammettevano che sulle montagne qua e là c'era stata resistenza, e continuava. Promettevano pene, perdoni, supplizi. Soldati sbandati, dicevano, la patria vi comprende e vi chiama. Finora ci siamo sbagliati, dicevano, vi promettiamo di far meglio. Venite a salvarvi, venite a salvarci, perdio. Voi siete il popolo, voi siete i nostri figli, siete carogne, traditori, vigliacchi. M'accorsi che le vuote frasi di un tempo non facevano piú ridere. Le catene, la morte, la comune speranza,

acquistavano un senso terribile e quotidiano. Ciò che prima
era stato nell'aria, era stato parole, adesso afferrava alle vi-
scere. Nelle parole c'è qualcosa d'impudico. In certi istanti
avrei voluto vergognarmi.

Invece tacevo. Avrei voluto scomparire come un topo.
Le bestie, pensavo, non sanno quel che avviene. Invidiavo
le bestie. Le mie donne di casa avevano di buono che igno-
ravano ogni cosa della guerra. L'Elvira capí subito questa
sua forza. Adesso anche il freddo mi ricacciava in casa; e
rientrarci da Torino, dal frutteto, dalle vuote camminate
per la collina gialla e spoglia scordando un momento nel suo
tepore di tana la eterna monotona angoscia e paura, mi riusciva quasi dolce. Anche di questo avrei voluto vergognarmi.

Veniva Dino, in quei mattini di novembre, e studiavamo
sui suoi libri, lo facevo parlare di quel che sapeva. Di punto
in bianco lui smetteva la lezione e usciva a raccontare delle
ultime voci, di quel che aveva detto un viandante, dei tedeschi, dei patrioti alla macchia. Sapeva già le prime storie di
colpi inverosimili, di beffe, di spie giustiziate; se entrava
l'Elvira, smetteva. A ogni nuova notizia pensavo quale enorme leggenda si andasse creando in quei giorni e come soltanto un ragazzo che di tutto si stupisce poteva viverci in
mezzo senza stupore. Che io non fossi un ragazzo come Dino, era soltanto un caso; lo ero stato vent'anni prima, e i
miei stupori d'allora erano futili in confronto dei suoi. « Ecco, – dicevo, – se morissi in questa guerra, di me non resta
che un ragazzo ».

– Non metti piú quel vestito bianco alla marinara? – gli
chiesi.

– Lo porto a scuola. Quando riaprono le scuole?

Anche l'Elvira che, finita la lezione, lo chiamava alla cre-
denza e gli dava dei dolci, voleva sapere da lui se sarebbe
tornato a scuola, se aveva delle sorelle, se ricordava suo padre. Dino rispondeva buffoneggiando e insieme aggrottan-
dosi infastidito.

– Mi somiglia , – dicevo all'Elvira. – Quando da ragazzo
qualcuno mi baciava, mi pulivo la faccia con la manica.

– Ragazzi, – diceva lei, – ragazzi d'oggi. La madre lavora
e il bambino viene su come può.

– Non c'è figlio di contadini che sua madre non lavori, –
dicevo. – Cosí è sempre stato.

– E questa qui fa l'infermiera? – diceva l'Elvira. – E vivono all'osteria?

– Avercela un'osteria. Con quel che succede...

Da quella volta delle lacrime, l'Elvira non s'era piú tra-
dita. Era per me troppo facile irritarmi e gridare che con
quel che succedeva, con le morti, con gli incendi, coi deportati, con l'inverno e la fame, ci voleva buon tempo a dispe-
rarsi per capriccio, per pene di cuore. D'amore, del resto,
del suo assurdo amore, non avevamo mai parlato. Quei fiori
scarlatti del frutteto erano morti; tutto il frutteto era squal-
lido e secco. Venne un gran vento e lo spazzò. Io dissi all'Elvira che ringraziasse se aveva una casa, del fuoco, un letto
caldo e una minestra. Ringraziasse. C'era chi stava peggio.

– Ho sempre visto, – disse lei, punta sul vivo, – che le disgrazie c'è chi se le cerca.

– Per esempio, l'Italia mettendosi in guerra.

– Non dico questo. Basta fare il suo dovere. Credere...

– Obbedire e combattere, – dissi. – Domani ritorno col
pugnale e col teschio.

Lei mi guardò strizzando gli occhi, spaventata.

Era miracoloso come il tempo si manteneva. Un po' di
vapori, di nebbia ogni mattina, poi un sole dorato. Era novembre e ripensavo a quel fuggiasco di Valdarno, se c'era
arrivato. Ripensavo a tutti gli altri, ai disperati, ai senza-
tetto. Fortuna che il tempo teneva. La collina era bella, mostrava ormai la terra dura, polverulenta, nuda. Nei boschi
s'incontravano giacigli scricchiolanti di foglie. Pensavo sovente che all'occasione avrei potuto rifugiarmici. Non invidiavo i ragazzi di diciotto e vent'anni. Comparvero anche
al Pino manifesti militari. La repubblica rifaceva un esercito. La guerra stringeva.

Poi si riaprirono le scuole. Venne a cercarmi un mio collega, l'insegnante di francese, un uomo grasso e triste, con
cui da tempo non scambiavo parola. Lo trovai nel salotto,
seduto, e l'Elvira seduta davanti a lui, che aspettava.

– Oh, Castelli.

Castelli si guardò intorno e disse che quella sí era una
casa. Lui viveva in una camera in città, e i suoi padroni se
n'erano andati in campagna lasciandolo solo nel grande alloggio. – Almeno qui avete una stufa, – disse senza sorridere.

Poi l'Elvira andò a farci il caffè. Io dissi qualcosa della
scuola, ci scherzai. Castelli ascoltava, con l'aria stolida di

chi ha qualcosa in mente. Cosí grosso, impacciato, mi fece
pena anche stavolta.

Quando venne il caffè, non eravamo ancora al punto. Disse all'Elvira: — Poco, poco. Non lo merito —. Lo guardai
mentre sorbiva alla tazza e pensavo: « Poveretto. Lui sí che
è un padre di famiglia. Perché vive solo? »

Sulla porta gli dissi: — Dunque, Castelli, cosa c'è?

Si confidò solamente all'aperto, nel freddo. Io m'ero messo il soprabito e passeggiammo sulla ghiaia. Mi chiese se la
guerra sarebbe finita presto. L'aveva già chiesto in salotto.
— Non sei mica di leva, — gli dissi. — Sei piú vecchio di me.

Ma Castelli non pensava alla leva. — Buffoni, — brontolò
mezzo indignato. Non era un giudizio politico. Castelli non
sapeva di politica. Viveva solo. Ma gli avevano detto che far
scuola era accettare la repubblica, riconoscere il nuovo governo. — C'è da fidarsi? — disse a un tratto, — se almeno sa-
pessimo di chi siamo in mano.

— Di quelli di prima, — gli dissi. — Che storie. Soltanto,
adesso sono piú vivaci.

— Ma come finisce? — insisteva Castelli.

— Chi t'ha messo lo scrupolo?

Me l'aspettavo, era il collega di ginnastica, ex fascista e
capomanipolo. Costui non faceva mistero di voler chiedere
l'aspettativa per non compromettersi, e già accusava tutti
gli altri di opportunismo e leggerezza colpevole nei confronti della guerra fascista. — Bisogna decidersi, — gli aveva di-
chiarato, — la patria è al disopra dei sentimenti personali.

— Queste cose Lucini le dice? — chiesi a Castelli. — Allora
o fa la spia o la guerra è davvero finita.

Poi mi spiacque di averglielo detto. Castelli se ne andò
mogio mogio, e capii che sospetti, paure, mille incertezze gli
mordevano il cuore. Se ne andò curvo, e ripensai a Tono.

Di questo a scuola non si riparlò. Rividi i colleghi, rividi
Lucini, le lezioni ripresero in sordina; qualche ragazzo delle
classi superiori mancava. Pareva assurdo ritrovare i bidelli
sull'uscio, ascoltare il vocio dei ragazzi, assegnare dei com-
piti. La campana aveva un suono d'altri tempi, e ogni volta
faceva trasalire. Le aule fredde costringevano a tenere il soprabito; c'era un tono di sgombero, di vita provvisoria. Ripresi a mangiare nella mia trattoria, a tirar dritto, scantona-
re, incontrarmi con Cate.

La sera, con lei e con Dino, salivamo in collina.

— Aver dei soldi, — dissi a Cate, — non dipendere dagli

altri. Sbattersi in fondo a una campagna e non muoversi piú.

— Mi pare che hai tutto, — disse Cate. — Qualcuno sta meglio?

Mi sentii arrossire. — Sono voglie, non sono proteste, — dissi in fretta. — Scherzavo.

— È non pensare a questa guerra che vorresti, — disse lei. — Ma non puoi.

Andammo un tratto in silenzio. Dino trottava sulla strada accanto a me.

— Vorrei soltanto che finisse, — dissi.

Cate alzò il capo vivamente. Non disse parola. — Sí, lo so, — brontolai, — l'unico modo è non pensarci e lavorare. Come Fonso, come gli altri. Buttarsi nell'acqua per non sentire il freddo. Ma se nuotare non ti piace? Se non t'interessa arrivare di là? Tua nonna ne ha detta una giusta: chi ha la pagnotta non si muove.

Cate taceva.

— Di' la tua, signora.

Cate mi adocchiò di sfuggita e sorrise appena. — Quel che vorrei, te l'ho già detto.

Chinando gli occhi li posò su Dino. Fu un sospetto, un accenno, come una rapida allusione. Forse un riflesso involontario, una promessa. « Se fai la tua parte, — poteva aver detto, — c'è anche Dino... » Ci pensavo da un pezzo. Ma queste cose non si mettono in parole. Già il semplice sospetto m'irritava. « Dopo tutto, — pensai, — che si crede? Me ne infischio di Dino ».

— Fare o non fare queste cose, — dissi forte, — è sempre un caso. Non c'è nessuno che cominci. I patrioti e i clandestini sono tutti sbandati, renitenti, compromessi da un pezzo. Gente che è già caduta in acqua. Tanto vale.

— Molti non sono compromessi, — disse Cate. — Tutti i giorni ne casca qualcuno che poteva restarsene a casa tranquillo. Prendi Tono...

— Ah ma è qui che ha ragione la vecchia, — esclamai, — c'è un destino di classe. Vi ci porta la vita che fate. Non per niente l'avvenire è nelle fabbriche. Mi piacete per questo...

Cate non disse nulla, e sorrideva.

XIV.

Avevo smesso di andarli a trovare in casa loro, dove anche Cate passava un'ora al pomeriggio. Avevo smesso perché Fonso e Nando erano sempre fuori – fuori città, addirittura – e perché queste cose o si fanno davvero o non ha senso cominciarle. Compromettersi per gioco è troppo stupido. Ma dappertutto c'era rischio ormai. Viviamo in tempi che nessuno – per quanto vigliacco – è sicuro di svegliarsi domani nel letto. Come per le incursioni. E ha ragione la vecchia. Hanno ragione i preti. Abbiamo colpa tutti quanti; tutti dobbiamo pagare.

Chi pagò per primo fu il piú innocuo, Castelli. Malgrado l'irrequietezza dei ragazzi e i discorsi melliflui del preside, malgrado una nuova feroce incursione che ci cacciò in cantina come topi, i grandi corridoi delle aule, il cortile spoglio e i silenzi consueti facevano ancora della scuola un rifugio e un conforto come un vecchio convento. Pareva strano che qualcuno pensasse di trovare altrove la pace e la buona coscienza. Ma Castelli, ormai succube di quell'assurdo Lucini, Castelli che dava già qualche lezione privata, non chiese a Lucini come mai non se ne andasse anche lui. Passeggiavano insieme nell'atrio e Lucini s'accigliava, piccolotto e aggressivo, mostrava i denti, annuiva. Castelli ebbe una breve seduta col preside, e un bel giorno presentò la sua domanda.

Me lo disse la segretaria, dubbiosa, commentando: – Beati i diabetici –. Ma la cosa non andò liscia. Fui convocato in presidenza anch'io. Dal tono del preside capii che qualcosa bolliva. Non era un'inchiesta, per carità. Non gli pareva fosse il caso. Voleva soltanto sentire se qualcosa sapevo della decisione di un collega, se non s'erano fatti discorsi, se ritenevo che motivi estranei... Poi s'indignò. – Tutti vorremmo stare a casa. Farebbe comodo a chiunque in questi tempi. Bella scoperta. Ma non tutti possiamo. Noi presidi siamo i piú esposti. Dobbiamo dar conto di ogni nostra e ogni vostra parola... – Mi ricordai di quella volta, l'anno prima, che ci aveva parlato in consiglio della bella fiducia che, in quell'ora difficile, doveva regnare tra noi e la presidenza. Allora Lucini era ancora fascista.

Non mi tenni, e feci il suo nome. Poi mi morsi la lingua. Ma il preside si rabbuiò e insieme si mise a ridere. — Lucini è Lucini, — mi disse. — Sappiamo tutti chi è Lucini.

— Ma non si parlava di lui? — dissi brusco.

Ci guardammo intontiti. Allora il preside cacciò un sospiro, come davanti a uno scolaro troppo scemo.

— Castelli, — mi disse. — Castelli. Andiamo, via.

Strinsi le labbra in una smorfia e lo guardai.

— Castelli? — gli feci. — Ma è un santo.

Quell'altro si alzò in piedi e andò alla porta; la toccò e tornò indietro leggero. Si fermò a un passo e si toccò la fronte. Cacciò un sospiro d'impazienza. — Castelli mi ha fatto un discorso imprudente, — disse. — Qui nasce un guaio, sicuro. Il pericolo sono i ragazzi. Voi non sapete se ha parlato coi ragazzi?

— Soltanto Lucini può dirlo. Sono sempre a braccetto.

— E smettetela, — scattò. — Non possiamo immischiare Lucini.

— Perché no? — dissi con l'aria divertita.

Allora il preside mi diede un'occhiata sorniona. Tornò a sedersi dietro il tavolo, congiunse le mani e se le strinse sul panciotto. Parve perfino rassegnato.

— Voglio parlarvi apertamente, — disse adagio. — Abbiamo tutti i nervi scossi, di questi tempi. Quel che un collega dice a un altro, quel che ci diciamo in questa stanza a quattr'occhi, non esce di qui. Oso credere che insieme facciamo una sola famiglia. Ma abbiamo un dovere, una missione da compiere. Davanti ai ragazzi, davanti alle famiglie, e anche davanti alla nazione, a questo disgraziato paese, siamo tenuti a dar l'esempio, mi spiego? Fare gesti inconsulti, assumere un atteggiamento arrischiato... della coscienza parleremo poi, se volete... può avere effetti... attirare... coinvolgere. Gli occhi di molti, non solo dei ragazzi, ci stanno addosso... Mi spiego?

Della coscienza non parlammo. Nessuno dei due ci teneva. Gli promisi soltanto che avrei cercato di persuadere Castelli a ritirare la domanda. Andai invece da Lucini e gli chiesi serio serio come andava la salute. Lucini capí e s'indignò. Disse subito che questi non erano tempi da stare in pantofole e che chi aveva fegato doveva compromettersi.

— Compromettersi come?

— Questa guerra, — mi disse, — non è stata capita. Siamo partiti con un regime ch'era marcio. Tutti tradivano e tradiscono. Ma la prova del fuoco ci vaglia. Stiamo vivendo una rivoluzione. Questa repubblica tardiva...

Non concluse gran che ma concluse. La sua idea era che i tempi stringevano, che bisognava prender parte alla battaglia e salvare la patria stando con quello dei contendenti che avrebbe fatta la rivoluzione e dettata la pace.

— Ma chi vincerà? — brontolai.

Mi guardò stupefatto e si strinse nelle spalle.

Accompagnai Castelli a casa, e gli descrissi le paure del preside. Mi ascoltava compunto. Gli parlai di Lucini e gli chiesi se avevano fatto insieme la domanda. — Tanto valeva, — gli dissi, — che un bel giorno tu smettessi di venire a scuola. A che ti serve far sapere a tutti quanti che sei stufo?

Gli serviva che aveva bisogno di quel mezzo stipendio.

— Lucini, — mi disse, — non può chiedere l'aspettativa perché, quando uscisse lui dai ruoli, a chi potrebbe dar lezione? C'è ancora qualcuno che tiri di scherma?

Questa storia era sempre piú assurda. Gli spiegai che mai nessuno si sarebbe sognato di rinfacciarci che avessimo servito quel governo. — Tutti allora dovrebbero smettere, — dissi. — I tranvieri, i giudici, i postini. La vita si fermerebbe.

Lui pacato e testardo mi disse che ci voleva proprio questo. — Ma allora lascia lo stipendio. Sono quattrini del governo.

Scosse la testa e se ne andò. Tornai a casa agitato e scontento. Vidi la faccia delle donne, di Cate, se avessi fatto un gesto simile. Ma forse le sarebbe piaciuto. Anche all'Elvira sarebbe piaciuto, per un'altra ragione. Ecco, pensai tutta la sera, chi arrischia, chi agisce davvero, è cosí, non ci pensa. Come un ragazzo che si ammala e non sa di morire. Non si specchia in se stesso, non rinuncia nemmeno ai quattrini. Crede di fare il suo interesse come tutti, come un altro.

In quei giorni, mi scrissero da casa per le feste. Scriveva mia sorella, mi dava conto delle terre, si lagnava che stessi in città anche quell'anno. Certo i viaggi erano brutti, e i treni scomodi, agghiacciati. La vita è brutta dappertutto, diceva, qui non ci sono novità. La lettera era chiusa in un cestino di frutta e di carne; c'era anche il dolce di Natale.

Metà del cestino lo portai alle Fontane per una cena di fine d'anno che con Cate c'eravamo promessa. Dovevano

venire tutti. La nonna e le ragazze lavorarono un giorno a
cucinare; Dino girò con me la collina per cardi e castagne.
Era un giorno brullo, dorato; quest'anno la neve non s'era
ancora vista. Dino mi raccontò che in città era stato a vedere il marciapiede dove avevano fucilato tre patrioti; c'erano
ancora le macchie di sangue: se arrivava il giorno prima,
vedeva i cadaveri. Qualche passante si voltava e sbirciava
quel punto. Gli dissi di smetterla e pensare alle feste. Lui
disse ancora che nel muro si vedevano i segni delle pallottole.

Alle Fontane lo aspettava un pacchetto di libri e una lampadina tascabile; li avrebbe trovati al ritorno. Cate mi aveva già ringraziato. Non ero certo che a Dino il regalo sarebbe piaciuto. Non ne avevo mai fatti a un ragazzo. Ma si
poteva regalargli una pistola?

Rientrammo intirizziti e contenti. Nella cucina faceva un
buon caldo. C'erano i vecchi, Fonso, Giulia, Nando, tutti.
– Quest'è un posto sicuro, – dicevano. – Non ci si vive con
l'affanno come a Torino.

– Pensare, – dicevano, – che in cantina c'è tanto da met-
terci al muro tutti quanti. Anche voi, nonna.

Le ragazze ridevano e portarono in tavola. – Adesso è
Natale, smettiamola, – disse qualcuno.

Parlammo di Tono. Era in Germania, allo sterminio. Parlarono di altri, che non conoscevo, di fughe, di colpi di mano. – C'è piú gente in montagna che a casa, – disse la moglie
di Nando, – chi sa come faranno Natale.

– Sta' tranquilla, – brontolò Fonso, – gli abbiamo mandato anche il vino.

Io guardavo il vecchio Gregorio che tranquillo, in panciotto e spalle curve, masticava i bocconi. Non parlava, sembrava ascoltasse, guardava tranquillo, come se quei discorsi
li sentisse ogni giorno da quando era nato. L'inquietudine
della nostra allegria non lo toccava. Mi ricordava il mio paese. Di tutti noialtri era il solo che fosse sempre vissuto in
collina.

– Con la bella stagione, – diceva Fonso, – scenderemo
dalla montagna.

– Faranno presto a farvi fuori, – dissi subito. – In montagna sarà meglio restarci.

Anche Cate mi dava ragione. – Quest'altra estate, – disse
Fonso, – verranno loro a cercarci lassú. Non dobbiamo la-
sciargliene il tempo.

– Finché gli inglesi non ci aiutano, – disse Nando ridendo, – non avremo armi buone. Tedeschi e fascisti sono il nostro arsenale. Se non ce le portano, dobbiamo scendere a
pigliarle.

– Che guerra, che guerra, – gridò una ragazza. – Vince
chi riesce a scappar prima.

Si rideva e si vociava e allora Dino, che aveva bevuto, cominciò a fare il matto e correre intorno alla tavola, puntando la lampadina come un'arma e accendendocela addosso.
Io dissi che i tedeschi da quattro anni erano esperti di guerriglia e non c'era da farsi illusioni.

– Che dovessimo vederli a casa nostra, – disse Nando.

– Meglio questo che prima, – tagliò Fonso.

– Puoi dirlo.

Nessuno parlò della fine. Nessuno faceva piú i conti col
tempo. Nemmeno la vecchia. Dicevano « un altr'anno » o
« l'estate ventura » come se nulla fosse stato, come se ormai
la fuga, il sangue e la morte in agguato fosse il vivere normale.

Quando in tavola venne la frutta e la torta, si parlò del
mio paese e delle bande di laggiú. Cate mi chiese dei miei
vecchi. Fonso che organizzava a Torino e in montagna, disse qualcosa del lavoro clandestino sulle colline. Non ne aveva grandi notizie, era un altro settore, ma sapeva che era un
maledetto paese dove troppi sbandati s'erano messi a lavorare la campagna e non pensavano alla guerra.

– Sono colline come queste, – dissi allora. – Si può nascondersi in collina d'inverno?

– Si può dappertutto, – mi disse. – È necessario per divi-
dere le forze attaccanti. Quando ogni casa, ogni paese, ogni
collina abbia i suoi, mi dici come i neri potranno far fronte?

– Ogni tedesco che agganciamo, – disse Nando, – è uno
di meno che combatte a Cassino.

Pensai incredulo alle vigne e alle colline di quassú. Che
anche qui si sparasse, si tendessero imboscate, che le case
bruciassero e la gente morisse, mi parve incredibile, assurdo.

– Mi saprete poi dire, – uscí la moglie di Nando, – se gli
inglesi vi diranno grazie.

– Va' là, – disse Fonso. – Non combattiamo per gli inglesi.

La stanza sapeva di fumo e di vino. Anche Cate accese
una sigaretta. Apersero la radio. Il baccano aumentò, e si
stava bene in quel calore, appoggiati alla stufa, ascoltando

le voci. Ero uscito un momento prima nel cortile, con Dino, e mentre lui s'accovacciava nel buio, m'ero perso un momento nelle stelle e nel vuoto. Le medesime stelle di quand'ero ragazzo, le medesime che balenavano sulla città e sulle trincee, sui morti e sui vivi. Non c'era su quelle colline un cantuccio, un cortile di pace, donde almeno per quella notte guardare senza batticuore le stelle? Dalla porta veniva il brusio della cena e pensai che avevamo la morte sotto i piedi. Poi Dino mi chiamò, rientrammo in casa, e il calore ci avvolse. Le ragazze cominciarono a cantare.

Scesi a Torino il giorno dopo. Passai da scuola e ci trovai Fellini col berretto negli occhi. Chiacchierò delle feste, poi disse: – C'è qualcuno che ha fatto un Natale di merda.

Fellini parlava cosí, con un ghigno insolente. Attesi il resto, e venne subito.

– Non lo sapete di Castelli? L'hanno sospeso e messo dentro.

XV.

L'anno finí senza neve e, alla ripresa delle lezioni, coi colleghi non si parlò che di Castelli. – Meno male che non fa freddo, – dicevano. – Però, se è vero che ha un principio di diabete, ci lascia le ossa –. Che cosa si poteva fare per lui? – Niente, – bisbigliavamo, – niente. La macchia potrebbe allargarsi –. Lucini taceva, costernato e cattivo. Quando arrivavo sul portone della scuola, mi aspettavo ogni volta di vederci una macchina, dei tedeschi, dei militi. – Saremo tutti sorvegliati, – disse un altro, – i ragazzi, le case. Che storia. Ci prenderanno come ostaggi.

Il vecchio Domenico disse: – Siamo al punto che, se uno sta male, non può piú coricarsi.

– Professore, si riguardi, – gridavano i piú svegli dei ragazzi.

In quei giorni anche il preside mi fece quasi compassione. Cacciava sospiri e trasaliva a ogni squillo del telefono. Era evidente che Castelli si era messa da sé la corda al collo parlando col provveditore. Quella sua faccia molle e triste non la rimpiangeva nessuno. Se l'era voluto. Del resto, a ripensarci, non viveva già prima come dentro una cella, solitario e testardo? Ma tutti vivevamo cosí, dietro pareti, in paura e in attesa, e ogni passo, ogni voce, ogni gesto inatteso ci prendeva alla gola. – Silvio Pellico almeno – sorrise un giorno il preside, – si è accontentato di andar dentro, senza mettere nei guai nessun collega...

– Ma non ci sono dei parenti?

– Per carità, ci pensi lui.

Scordammo anche Castelli. Voglio dire, smettemmo di parlarne. Ma come Tono, come Gallo, come il soldato di Valdarno e il fratello dell'Egle, Castelli mi tornava in mente all'impensata, davanti a un disagio, a un allarme, a un'alba agghiacciata di brina, all'angoscia delle notizie. Ci pensavo soprattutto la notte andando a letto nell'ombra o la mat-

tina scendendo a Torino mentre il sole accendeva di oro
cruento le vetrate di un quarto piano. L'inverno, i bagliori,
le caligini dorate del mattino, mi avevano sempre conciliato
col mondo, dato un brivido di speranza. Ancora nei primi
anni di guerra, l'idea che nel mondo durassero di questi piaceri mi dava un senso all'attesa. Ora anche questo dileguava, e non osavo alzare il capo.

Di suo fratello Egle ci aveva chiacchierato con volubilità.
Lo dava per quasi rinsavito e pareva tranquilla. No, ai tedeschi non era passato, non valeva la pena. Ma nemmeno s'era
messo coi nemici di ieri, era troppo leale lui; stava a Milano, lavorava da ingegnere in una industria, seminascosto
con certi amici. S'era messo in borghese.

Dovendo fuggire, mi chiedevo in quei giorni, dovendo
nascondermi, dove sarei andato, dove avrei dormito la notte e mangiato un boccone? Avrei trovato un altro luogo
come questa casa, un po' di caldo, un respiro? Mi sentivo
braccato e colpevole, mi vergognavo dei miei giorni tranquilli. Ma pensavo alle voci, alle storie, di gente rifugiata
nei conventi, nelle torri, nelle sacrestie. Che cosa doveva
essere la vita tra quelle fredde pareti, dietro a vetrate colo-
rate, tra i banchi di legno? Un ritorno all'infanzia, all'odore
d'incenso, alle preghiere e all'innocenza? Non certo la cosa
peggiore di quei giorni. Trovai in me la velleità, quasi la
smania, di essere costretto a questa vita. Prima, passando
davanti a una chiesa, non pensavo che a zitelle e a vecchi
calvi inginocchiati, a fastidiosi borbottii. Che tutto questo
non contasse, che una chiesa, un convento, fossero invece
un rifugio dove si ascolta con le palme sul viso calmarsi il
battito del cuore? Ma per questo, pensavo, non c'era bisogno delle navate e degli altari. Bastava la pace, la fine del
sangue sparso. Ricordo che stavo traversando una piazza, e
il pensiero mi fece fermare. Trasalii. Fu quella una gioia,
una beatitudine inattesa. Pregare, entrare in chiesa, pensai,
è vivere un istante di pace, rinascere in un mondo senza
sangue.

Ma la certezza dileguava. Poco dopo, trovata una chiesa,
c'entrai. Mi soffermai presso la porta, poggiato alla fredda
parete. C'era in fondo, sotto l'altare, un lumicino rosso; nei
banchi, nessuno. Fissai gli occhi a terra e ripensai quel pensiero, volli rigodere la gioia e la certezza della pace improv-
visa. Non mi riuscì. Mi chiesi invece se Dino lo mandavano
a messa. Non ne avevamo mai parlato. Non ricordai cosa fa-

ceva la domenica mattina. Certo la vecchia andava a messa.
Mi seccavo, e uscii fuori, respirando l'aria aperta.

Non parlai con nessuno di quell'attimo, di quello sgorgo
di gioia. Tanto meno con Cate. Mi chiesi se quelli che andavano in chiesa, le mie donne, il parroco di Santa Margherita, provavano questo – se in prigione, o sotto le bombe, davanti ai fucili puntati, qualcuno godeva una simile pace.
Forse la morte a questo patto era accettabile. Ma parlarne
non era possibile. Sarebbe stato come rientrare in chiesa,
assistere a un rito – un gesto inutile. La cosa piú bella del
culto, degli altari, delle vuote navate, era il momento che si
usciva a respirare sotto il cielo, e la portiera ricadeva, si era
liberi, vivi. Soltanto di questo si poteva parlare.

Nel tepore della stanza da pranzo, sotto il cono di luce,
mentre l'Elvira cuciva e la vecchia sonnecchiava, pensavo
alle brine, ai cadaveri, alle fughe nei boschi. Entro due mesi
al piú, sarebbe stata primavera, la collina si sarebbe vestita
di verde, qualcosa di nuovo, di gracile, sarebbe nato sotto il
cielo. La guerra si sarebbe decisa. Già si parlava di offensive
e nuovi sbarchi. Sarebbe stato come uscire dal rifugio sotto
gli ultimi colpi ai velivoli in fuga.

Non dissi a Cate del mio tentativo, ma volli sapere se lei
credeva in queste cose. Fece una smorfia e mi rispose che ci
aveva creduto. Si soffermò sul sentiero – era già scuro, rien-
travamo da Torino – disse che a volte le veniva di pregare,
ma sapeva trattenersi. Chi non ha i nervi a posto, osservò,
non serve a niente in ospedale. Ne succedono troppe.

– Ma è pregando che i nervi si calmano, – dissi. – Guarda i preti e le monache, sono tranquilli sempre.

– Non è il pregare, – disse Cate, – è il mestiere che fanno. Ne vedono di tutti i colori.

Pensai che tutti vivevamo come dentro un ospedale. Ri-
prendemmo la strada. La pace, l'inutile pausa, mi parevano
adesso cose assurde e scontate. Davvero, parlarne non si poteva.

– Non si può, – disse Cate, – pregare senza crederci. Non
serve a niente.

Parlò seccamente, come rispondendo a un discorso.

– Eppure crederci bisogna, – le dissi. – Se non credi in
qualcosa, non vivi.

Cate mi prese per il braccio. – Tu credi in queste cose?

– Siamo tutti malati, – le dissi, – che vorremmo guarire.
È un male dentro, basterebbe esser convinti che non c'è e

saremmo sani. Uno che prega, quando prega è come sano.

Allora Cate mi guardò sorpresa. Mi aspettavo un sorriso, che non venne. Disse: – I veri malati bisogna curarli, guarirli. Pregare non serve. È cosí in tutto. Lo dice anche Fonso: « Conta quello che si fa, non che si dice ».

Poi parlammo di Dino. E fu piú facile. Cate ammise che avrebbe dovuto tirarlo su con piú coraggio, insegnargli a capire le cose da sé, lasciargli il tempo di decidere, ma non c'era riuscita. La nonna a volte lo portava a messa e lo mandava al catechismo. Io le dissi che, comunque si faccia, i bambini non sanno decidere e che mandarli o non mandarli al catechismo è già una scelta, è insegnargli qualcosa che loro non hanno voluto. – È religione anche non credere in niente, – le dissi. – A queste cose non si scappa.

Ma Cate disse che doveva esser possibile spiegare a un bambino le due idee e poi dirgli di scegliere. Allora mi venne da ridere, e sorrise anche lei, quando le dissi che il modo migliore di fare un cristiano è insegnargli a non crederci, e viceversa. – È vero, – gridò, – è proprio vero –. Ci fermammo davanti al cancello, il cane mi saltava già intorno, fu l'unica volta che parlammo di questo. La sera dopo non la vidi alla fermata del tram.

Proprio quel giorno avevo pensato di farmi vedere oltre Dora dagli altri. Poi, per il freddo e la lunga strada non c'ero andato. Rientrai sotto le piante spoglie, rimuginando quella storia del nostro discorso, ripensando a Castelli. L'Elvira mi disse che c'era stato un giovanotto che mi chiamava alle Fontane. Non sapeva chi fosse. Partii subito, prima di buio, seccato che l'Elvira fosse messa al corrente in quel modo. Mi gridò dietro se tornavo a cena.

Li trovai tutti, meno Fonso e Giulia. Nando, sulla porta, mi fece un cenno preoccupato. Sui tavolini, nel cortile, intravidi valige e fagotti. Tutti giravano in cucina, Dino rosicchiava una mela.

Fu Cate che disse: – Ah, ci sei.

Volevano avvertirmi che non andassi oltre Dora. – Volano basso, – disse Nando. – Si comincia.

– No, Fonso è in montagna, – mi dissero. – È Giulia. L'hanno presa i tedeschi quest'oggi.

Non ebbi paura. Non mi sentii cadere il cuore. Erano mesi che aspettavo quel momento, quel colpo. O forse, quando una cosa comincia davvero, spaventa meno perché toglie un'incertezza. Nemmeno il loro orgasmo lí per lí mi spaventò.

— Una donna, – dissi, – se la cava di solito.

Non mi risposero. La questione era un'altra. Se l'avevano presa per caso o se da un pezzo sorvegliassero l'alloggio. C'erano stati molti arresti nella fabbrica e sequestri di materiale. Era stata chiamata con altre compagne in cortile e fatte salire insieme sul furgone. Qualcuno era subito corso a dar la voce. Probabilmente in quel momento perquisivano l'alloggio. La moglie di Nando strillava che scappare di casa era stata una sciocchezza. Cosí venivano a cercarli alle Fontane.

Cate le disse seccamente che nessuno poteva parlare.

— Se non Giulia, – disse la sorella piú giovane.

Discutemmo il coraggio di Giulia. Una domanda mi scottava. Non osavo proporla.

— Se qualcosa sapevano, – disse la vecchia, – vi avrebbero già impacchettati.

— Povera Giulia, – disse Cate, – bisogna portarle da cambiarsi.

Allora mi accorsi che a Castelli nessuno della scuola aveva pensato. Chiesi: – Si può portare pacchi nelle prigioni?

Si sentí un'automobile, e tutti tacemmo. Il motore ronzò, ingigantí, tenemmo il fiato. Passò veloce, e ci guardammo come chi esce dall'acqua annaspando.

— Li consegnano i pacchi? – dissi.

— Qualche volta.

— Ma prima si servono loro.

— Non è mica la roba, è il ricordo che fa, – disse Nando.

Quel che pensavo, non lo disse nessuno. Soltanto Dino a un certo punto saltò su. – Nascondiamoci in cantina, – disse.

— Tu smettila, – scattò sua madre. Ma tornavamo sempre a Giulia. Il pericolo, disse Nando, era che perdesse la testa e dicesse insolenze. Odiava troppo quella gente. – Se riescono a farla arrabbiare...

Li lasciai ch'era notte. Ci saremmo veduti con Cate a Torino. Uscii nel buio con un senso di sollievo, e trovai Belbo che aspettava in cortile. Mi fece trasalire. « Siamo il cane e la lepre », pensai.

Venne carnevale e, strano a dirsi, la piazza che traversavo tutti i giorni per scendere a scuola, si riempí di baracconi, di folla stracca, di giostre e bancarelle. Vidi ginnasti infreddoliti, e carrozzoni; quel po' di baccano che ne usciva non mi fece la pena consueta. Pareva miracoloso che ci fosse ancora gente disposta a viaggiare, infarinarsi la faccia, mostrarsi cosí. Metà della piazza era diroccata da bombe, qualche tedesco sfaccendato si aggirava e curiosava. Il cielo dolce di febbraio apriva il cuore indolenzito. In collina, sotto le foglie fradice, dovevano spuntare i primi fiori. Mi ripromisi di cercarli.

Ormai camminavo le vie spiando sempre se qualcuno mi seguiva. Lasciavo che Cate scendesse dal tram, s'incamminasse; la raggiungevo a mezza costa, nella sera già chiara. Mi dava notizie di Giulia, degli altri. Si sapeva soltanto che Giulia era viva, si bisbigliava di attentati e rappresaglie tedesche – era sempre possibile che un giorno o l'altro facessero ostaggio anche di una donna e la mettessero al muro. Fonso non venne piú a Torino: in montagna si organizzavano per le azioni di primavera. I depositi delle Fontane – fu Cate a parlarne – dovevano venire i suoi uomini a ritirarli in quelle notti. – Meno male, – le dissi, – sbrigatevi. È roba da pazzi –. Lei sorrise e mi disse: – Lo so.

## XVI

Seguí una notte di tiepida pioggia che liberò la primavera. L'indomani nel sereno stillante si respirava un odore di
terra. Passai metà della mattina nei boschi, nella conca sul
sentiero del Pino ritrovando i muschi e i vecchi tronchi. Mi
parve ieri che c'ero salito con Dino, mi chiesi per quanto
tempo ancora sarebbe stato il mio solo orizzonte, e guardavo il cielo fresco come una vetrata di chiesa. Belbo correva
al mio fianco.

Tornando passai per una cresta da cui si dominava il versante delle Fontane. Molte volte con Dino avevamo cercato
di lassú lo stradone e la casa. Quel giorno fra i tronchi spogli, vidi subito il cortile, e vidi due automobili ferme, color
verde-azzurro, e intorno figurine umane dello stesso colore.
Provai come un senso di nausea, di gelo, tentai di dirmi
ch'eran gli uomini di Fonso, mi parve che il sole si fosse coperto. Guardai meglio; non c'erano dubbi, vidi i fucili nelle mani dei soldati.

Per qualche secondo non mi mossi; fissavo la conca, il
cielo terso, il gruppetto laggiú; non pensavo a me stesso,
non ebbi paura. Mi sbalordí il modo inatteso che hanno le
cose di accadere; avevo visto tante volte quella casa dall'alto, mi ero pensato in ogni sorta di pericoli, ma una scena
cosí – vista dal cielo nel mattino – non l'avevo preveduta.

Ma il tempo stringeva. Che fare? Potevo far altro che attendere? Avrei voluto che ogni cosa fosse finita, fosse già
ieri: il cortile deserto, le automobili scomparse. Pensavo a
Cate, se era scesa a Torino, se la stavano arrestando a Torino. Pensai di accostarmi, di sentire le voci. Mi riprese
quel senso di nausea. Era evidente che dovevo correre subito a Torino, rischiare ogni cosa, avvertirla. Sperai vagamente che fosse rimasta.

Nel cortile si agitavano. Vidi gonne, abiti borghesi, non
distinsi le facce. Salivano sulle automobili. Di casa usciro-

no soldati, salirono anche loro. Riconobbi la vecchia. « Bruceranno la casa? » pensavo. Poi, remoto, mi giunse lo scoppio dei motori che si allontanavano.

Passò del tempo. Non mi mossi. Di nuovo, tutto era terso e tranquillo. « Se hanno preso la vecchia, – pensavo, – hanno preso tutti ». Mi accorsi di Belbo, che, accucciato ai miei piedi, ansimava. Gli dissi: – Laggiú, – e lo sospinsi col piede. Lui saltò sulle zampe abbaiando. Per la paura mi ritrassi dietro un tronco. Ma Belbo era già partito come una lepre.

Lo vidi arrivare trotterellando per la strada. Lo vidi entrare nel cortile. Mi ricordai quella notte d'estate che alle Fontane si cantava e tutto doveva ancora succedere. Col cuore sospeso tesi l'orecchio e spiavo se qualcuno era rimasto laggiú. Belbo, piantato nel cortile, riprese ad abbaiare, contro la porta, provocante. Si udí il canto di un gallo, strepitoso e lontano; si udí dalla strada del Pino il cigolio di carri in condotta.

Il cortile era sempre deserto. Poi vidi Belbo che saltava e aveva smesso di latrare; saltava intorno a qualcuno, a un ragazzetto, Dino, sbucato da sotto la siepe. Li vidi scendere in strada e incamminarsi insieme sul sentiero che avevo percorso tante volte rientrando. Senza dubbio era Dino. Riconobbi la rossa sciarpa che portava sul soprabito, il passo trottante. Mi misi a correre fra sterpi e foglie marce, mi scansavo e battevo nei rami bagnati, correvo come un pazzo; la paura, l'orgasmo, la smania, diventarono corsa affannosa. Da una radura vidi ancora le Fontane, il cortile tranquillo. Non c'era nessuno.

Incontrai Dino a mezzacosta. S'arrampicava con le mani in tasca. Si fermò, rosso in faccia e ansimando. Non mi pareva spaventato. – I tedeschi, – mi disse. – Sono venuti stamattina in automobile. Hanno dato dei pugni a Nando. Volevano ucciderlo...

– La mamma dov'è?

Anche Cate era presa. Anche il vecchio Gregorio. Tutti. Lui e la mamma uscivano per andare a Torino e li avevano visti arrivare. Non avevano fatto in tempo a voltarsi che già i tedeschi eran saltati correndo nel cortile. Puntavano dei fucili corti, gridando. La mamma tremava. Nando faceva colazione e non aveva piú finito. C'era ancora la scodella sul tavolo.

– Sono entrati in cantina?

Un tedesco aveva preso una cesta di bottiglie. Sí, Nando l'avevano picchiato in cantina, si sentiva urlare. Avevano trovato le casse e i fucili. Gridavano in tedesco. Li comandava un ometto in borghese, che parlava italiano. La moglie di Nando era caduta per terra. A lui la mamma aveva detto che cercasse di nascondersi, poi venisse da me a dirmi tutto. Ma avrebbe voluto restare con gli altri, salire anche lui in automobile; era venuto avanti e i tedeschi non l'avevano lasciato salire. Allora la mamma gli aveva fatto gli occhiacci e lui era scappato nel campo e la nonna chiamava, gridava. Tanto valeva nascondersi.

— Ti ha detto di dirmi qualcosa?

Dino disse di no e si rimise a descrivere quel che aveva veduto. L'uomo in borghese aveva chiesto a chi servivano le stanze di sopra. Quanti venivano di sera all'osteria. Poi parlava in tedesco con gli altri.

Arrivammo al cancello. Dino disse che aveva già mangiato e che s'era riempito le tasche di mele. Per tutta la strada io pensai alle ville nascoste nei parchi, e che nessuna era sicura per nascondersi.

Ma sulla porta ci aspettava l'Elvira. S'era messa il mantello e aspettava. Era scura, nervosa. Mi corse incontro e piú rossa del fuoco balbettò senza voce:

— Ci sono i tedeschi.

— Lo so già, — volli dirle, ma un suo gesto di prendermi il braccio e tirarmi in disparte senza nemmeno fare caso a Dino, mi spaventò. Non era rossa per pudore, aveva gli occhi costernati.

— Sono venuti due tedeschi, — disse ansando, — hanno detto il suo nome... Sono entrati... hanno visto la stanza...

Fu piú che una nausea, mi si disciolsero le gambe. Dissi qualcosa, non uscí la voce.

— Un'ora fa, — disse l'Elvira bassa e rauca, — non sapevo dove era... non volevo che l'aspettassero... Gli ho scritto su un foglio la scuola e la via. Ci sono andati... Ma ritornano, ritornano...

Oggi ancora mi chiedo perché quei tedeschi non mi aspettarono alla villa mandando qualcuno a cercarmi a Torino. Devo a questo se sono ancora libero, se sono quassú. Perché la salvezza sia toccata a me e non a Gallo, non a Tono, non a Cate, non so. Forse perché devo soffrire dell'altro? Perché sono il piú inutile e non merito nulla, nemmeno un castigo? Perch'ero entrato quella volta in chiesa?

L'esperienza del pericolo rende vigliacchi ogni giorno di piú. Rende sciocchi, e sono al punto che esser vivo per caso, quando tanti migliori di me sono morti, non mi soddisfa e non mi basta. A volte, dopo avere ascoltato l'inutile radio, guardando dal vetro le vigne deserte penso che vivere per caso non è vivere. E mi chiedo se sono davvero scampato.

Quel mattino non stetti a pensare. Un sapore di morte mi riempiva la bocca. Saltai nel sentiero dietro i bossi; dissi all'Elvira sul cespuglio che desse i miei soldi e il libretto di banca al ragazzo, io correvo ad aspettarlo nella conca delle felci. Dissi a Dino di fare attenzione che non lo seguissero. Gli dissi di andare al cancello e guardare.

Ai tedeschi, raccomandai all'Elvira, bisognava rispondere che sovente passavo settimane a Torino e che lei non sapeva dove.

Dino gridò. Disse: – C'è un uomo.

Mi appiattii sulla ghiaia bagnata. Tornò l'Elvira e bisbigliò: – Non era niente. Un carretto che passa.

Allora dissi – Siamo intesi, – e mi salvai.

Arrivai tra le felci ch'ero tutto sudato. Non mi sedetti. Passeggiavo avanti e indietro per sfogarmi. Fra gli alberi spogli si apriva il grande cielo, leggero, mai visto cosí. Compresi cos'è il cielo per i carcerati. Quel sapore di sangue che m'empiva la bocca m'impediva di pensare. Guardai l'orologio. Mi pentii di aver promesso di aspettare. Quell'attesa era orribile. Tendevo l'orecchio se sentivo abbaiare dei cani, sapevo che i tedeschi usano i cani poliziotti. «Purché Belbo non venga a cercarmi, – dicevo, – sono capaci di seguirlo».

Poi cominciarono i sospetti e le questioni. Se i tedeschi arrestavano l'Elvira e la madre, la madre diceva certo ch'ero qui. Avrei voluto ritornare e supplicarle. Ripensai quanti torti avevo fatto all'Elvira. Mi chiesi se Dino le aveva già detto dei suoi arresti e dei fucili. Mi calmò un poco ricordarmi che fucili da me non ne avevano nemmeno cercati.

Cosí passavo quell'attesa, appoggiandomi ai tronchi, parlando tra me, passeggiando, seguendo la luce. Mi venne fame, guardai l'orologio, erano le undici e dieci. Aspettavo da solo mezz'ora. A Cate, a Nando, a tutti gli altri non osavo pensare, quasi per darmi un attestato d'innocenza. A un certo punto mi scrollai, mi feci schifo. Per la terza volta pisciai contro un tronco.

Dino arrivò due ore dopo, insieme all'Elvira, che s'era messo il velo nero sul capo come quando tornava da messa. — Non si è visto nessuno, — mi dissero. Portavano un pacco e un pacchetto piú piccolo. — C'è da mangiare e c'è la roba, — disse lei. La roba erano calze, fazzoletti, il rasoio. — Siete matti, — strillai. Ma l'Elvira mi disse che ci aveva pensato, che mi aveva trovato un bel rifugio sicuro. Era oltre il Pino, in pianura, il collegio di Chieri, una casa tranquilla con letti e refettorio. — C'è un bel cortile e fanno scuola. Starà bene, — mi disse. — Qui c'è una lettera del parroco. È una scuola di preti. Tra loro s'aiutano, i preti.

Parlava tranquilla, non piú spaventata. Anche il rossore era scomparso. Tutto avveniva naturale, consueto. Ripensai quelle sere che le dicevo « Buona notte ».

— E Dino? — dissi.

Per ora restava con loro. Disse: — Ci siamo già spiegati — guardandolo appena, e lui fece di sí col mento.

La stanchezza, il sapore di sangue tornavano a invadermi. Mi si annebbiarono gli occhi. Galleggiavo dentro un mare di bontà, di terrore, e di pace. Anche i preti, e il perdono cristiano. Cercai di sorridere ma la faccia non mi disse. Brontolai qualcosa — che rientrassero subito, che soprattutto non venissero a cercarmi. Presi i pacchi e partii.

Mangiai nei boschi e verso sera ero entrato nel collegio, per una viuzza fuori mano. Nessuno mi aveva veduto. Giurai, se potevo, di non uscirne mai piú.

XVII.

Quel giro di portico intorno al cortile, quelle scalette di mattoni per cui dai corridoi s'andava sotto i tetti, e la grande cappella semibuia, facevano un mondo che avrei voluto anche piú chiuso, piú isolato, piú tetro. Fui bene accolto da quei preti che del resto, lo capii, c'erano avvezzi: parlavano del mondo esterno, della vita, dei fatti della guerra con un distacco che mi piacque. Intravidi e ignorai i ragazzi, rumorosi e innocui. Trovavo sempre un'aula vuota, una scala, dove passare un altro poco di tempo, allungarmi la vita, star solo. I primi giorni trasalivo a ogni insolito gesto, a ogni voce: avevo l'occhio a pilastri, a passaggi, a porticine, sempre pronto a rintanarmi e sparire. Per molti giorni e molte notti mi durò in bocca quel sapore di sangue, e i rari momenti che riuscivo a calmarmi e ricordare la giornata della fuga e dei boschi tremavo all'idea del pericolo cui ero scampato, del cielo aperto, delle strade e degli incontri. Avrei voluto che la soglia del collegio, quel freddo portone massiccio, fosse murata, fosse come una tomba.

Nel giro del portico passarono i giorni. Cappella, refettorio, lezioni, refettorio, cappella. Il tempo cosí sminuzzato chiudeva i pensieri, trascorreva e viveva in luogo mio. Entravo in cappella con gli altri, ascoltavo le voci, chinavo il capo e lo rialzavo, ripetevo le preghiere. Ripensavo all'Elvira, se l'avesse saputo. Ma ripensavo anche alla pace, alla scoperta di quel giorno della chiesa, e coprendomi gli occhi covavo il tumulto terribile. Le vetrate della cappella erano povere e scure, il tempo s'era guastato e oscurato, piovigginava giorno e notte, io covavo nel freddo il terrore e la chiusa speranza. Quando seduto in refettorio sotto il baccano dei ragazzi mi umiliavo in un cantuccio e scaldavo le mani a quel piatto, mi compiacevo di esser come un mendicante. Che certi ragazzi brontolassero sulla preghiera, sul servizio, sui cibi, mi metteva a disagio, mi riempiva di un superstizioso rancore, di cui del resto mi accusavo. Ma per quanto tacessi, chinassi la testa, raccogliessi i pensieri, non ritrovavo piú la pace di quel giorno della chiesa. Entrai qualche volta da solo in cappella, nel freddo buio mi raccolsi e cercai di pregare; l'odore antico dell'incenso e della pietra mi ricordò che non la vita importa a Dio ma la morte. Per commuovere Dio, per averlo con sé – ragionavo come fossi credente – bisogna aver già rinunciato, bisogna essere pronti a sparger sangue. Pensavo a quei martiri di cui si studia al catechismo. La loro pace era una pace oltre la tomba, tutti avevano sparso del sangue. Com'io non volevo.

In sostanza chiedevo un letargo, un anestetico, una certezza di esser ben nascosto. Non chiedevo la pace del mondo, chiedevo la mia. Volevo esser buono per essere salvo. Lo capii cosí bene che un giorno mollai. Naturalmente non fu in chiesa, ero in cortile coi ragazzi. I ragazzi vociavano e giocavano al calcio. Nel cielo chiaro – quel mattino aveva smesso di piovere – vidi nuvole rosee, ventose. Il freddo, il baccano, la repentina libertà del cielo, mi gonfiarono il cuore e capii che bastava un soprassalto d'energia, un bel ricordo, per ritrovare la speranza. Capii che ogni giorno trascorso era un passo verso la salvezza. Il bel tempo tornava, come tante stagioni passate, e mi trovava ancora libero, ancor vivo. Anche stavolta la certezza durò poco piú di un istante, ma fu come un disgelo, una grazia. Potei respirare, guardarmi d'attorno, pensare al domani. Quella sera ripresi a pregare – non osavo interrompere – ma pregando pensai con meno angoscia alle Fontane, e mi dicevo che tutto era caso, era gioco, ma appunto per questo potevo ancora salvarmi.

L'ora piú cruda era l'alba, quando attendevo la campana del risveglio nel lettuccio in soffitta. Tendevo l'orecchio nell'ombra, se mi giungessero rimbombi, tintinnii, secchi comandi. Era l'ora in cui si fanno le irruzioni, in cui si sorprendono nei nascondigli i fuggiaschi. Nel caldo del letto pensavo alle celle, ai visi noti, ai tanti morti. Nel silenzio rivedevo il passato, riandavo i discorsi, chiudevo gli occhi e immaginavo di soffrire con gli altri. Già questo filo di coraggio mi faceva trasalire. Poi venivano suoni lontani, chiocciolii, tonfi vaghi. Pensavo alla grande pianura nella nebbia, nell'ombra, ai boschi rigidi, ai pantani, alla campagna. Vedevo i posti di blocco e le ronde. Quando la luce s'annunciava per le fessure dell'imposta, ero da un pezzo tutto sveglio, inquieto.

A poco a poco entrai nel giro del collegio; dopo quindici giorni assistevo i ragazzi nelle ore di studio. Me ne toccò un gruppetto di dodicenni, e fu fortuna perché dei maggiori qualcuno, in divisa di avanguardista volontario, avrebbe potuto farmi domande. Altri assistenti come me intravedevo in refettorio e nel cortile; ufficiali nascosti, si diceva, giovanotti del Sud separati dai suoi. Cercai di evitarli. Nelle ore di studio sorvegliavo i ragazzi che se ne stavano in pace al loro banco, tutt'al piú litigandosi per un pennino; io leggicchiavo per conto mio i loro libri. L'ora piú bella era il mattino, quando i ragazzi se ne andavano a scuola, e il collegio diventava vuoto e silenzioso. Allora i giovanotti assistenti se la battevano anch'essi, infilavano il portone, la viuzza, correvano Chieri, i caffè, le ragazze. A sentirli, era una bazza. Non pensavano ad altro. – Siamo uomini, – dicevano. La loro imprudenza mi faceva tremare. Ma la mattina silenziosa nel cortile o in un'aula vuota, leggicchiando o guardando le nuvole, seguendo il sole sotto gli archi, mi ridava un respiro, una calma. Bastava una visita o un passo perché sparissi dietro un angolo, adocchiassi la scaletta che metteva sul tetto. Tuttavia troppe volte ormai mi ero allarmato a vuoto, per patirci gran che. La stessa cappella poteva servirmi, perché metteva in sacrestia e di qui in una chiesa aperta in piazza. Ma non tutti se ne andavano dal collegio la mattina, qualche prete appariva e spariva sotto il portico; sovente parlavo con loro. Uno ce n'era che ascoltava la radio, padre Felice, e mi dava le notizie e ci scherzava con un fare infantile e impassibile. Scorreva il giornale con me. Per lui la guerra era una mena di « quei tali », un pasticcio clamoroso e lontano, una cosa che a Chieri importava ben poco. – Sciocchezze, – diceva, – queste campagne hanno bisogno di concime e non di bombe –. Passarono un giorno nel cielo due o tre formazioni nemiche, luccicanti d'argento; tremava la terra ai motori, il fragore copriva le nostre voci. Padre Felice corse a vederli, suonò lui stesso la campana dell'allarme, qualche altro prete corse fuori, voleva scendere in cantina. – Se venivano a Chieri, eravamo già morti, – disse lui strattonando la fune. Poi si sentirono esplosioni in lontananza. Padre Felice tendeva l'orecchio, con una smorfia di disgusto, e muoveva le labbra. Non si capiva se pregava o contava le botte. Io lo invidiavo perché mi accorgevo che non faceva differenza tra quel pericolo mortale e un terremoto o una disgrazia. Discorrendo con me, mi accettò sempre a prima vista; non mi chiedeva perché vivessi nascosto; diceva soltanto: — Dev'essere brutto per un uomo come lei starsene chiuso —. Una volta gli dissi che ci stavo benissimo. Lui chinò il capo consentendo. — Si capisce, una vita tranquilla. Ma un po' d'aria non guasta —. Era giovane, appena trentenne, figlio di contadini. Coi ragazzi, contadinotti quasi tutti e teste dure, sapeva fare, rabbonirli, e tenerseli intorno. — Sono come i vitelli, — diceva, — non si sa perché li mandano a scuola —. Mi chiedevo se anche Dino stava in mezzo ai ragazzi; se andava a scuola come prima, se l'Elvira gli parlava. Mi chiedevo cosa fosse successo alla villa, se mi avevano cercato a Torino. Tutto questo appariva remoto, di là dalla tomba, e l'idea di ricevere qualche notizia mi faceva spavento. Meglio cosí, starmene al buio.

Invece vennero notizie, e inaspettate. Mi chiamarono in parlatorio. — Una donna vi cerca —. Era l'Elvira con veletta e borsa, e Dino rosso e ravviato. — Non s'è visto nessuno, — mi dissero. — Hanno tutt'altro da pensare. — Nemmeno in paese? — esclamai. — Nemmeno in paese.

— Mi avranno cercato dai miei, — dissi allora.

— Sua sorella le ha scritto.

Mi diede la lettera. Aprii la lettera, col cuore in gola. C'erano ancora quei paesi, quel passato. Era stata spedita da pochissimi giorni, diceva le solite cose invernali. Nessuno — era chiaro — mi aveva cercato neanche là.

Poi vidi a terra una valigia, e l'Elvira mi prevenne. — C'è la roba di Dino, siamo venuti col carretto...

Dino guardava per il vetro il porticato e l'alto muro. Un prete attraversava il cortile.

— ... Siamo stati l'altro giorno alle Fontane. Nemmeno la porta avevano chiuso, ma tutto è a suo posto. Bisogna dire che la gente è ancora onesta...

Parlava aggressiva, con un inutile bisbiglio. Era rossa e commossa. Si volse a Dino e disse a un tratto: — Qui ti piace?

Venne un ragazzo a chiamare Dino dal rettore. Guardai l'Elvira stupefatto. Lei gli disse di andare e dare buone risposte, poi volgendosi a me tentò un sorriso. — Siamo venuti con il parroco, — mi disse. — Il parroco dice che questo ragazzo non può crescere abbandonato. Ha bisogno di scuola, di guida. Frequentare a Torino non può, chi l'accompagna? Il parroco spera di farlo accettare in collegio. Lo prenderanno, è quasi un orfano.

La strana idea mi rivoltò, per il pericolo evidente. Dino poteva far da pista e tradirmi, e l'idea che ormai fosse solo al mondo non riuscivo a pensarla, mi pigliava sprovvisto.

– Qui fanno una retta, – insisté l'Elvira, – eccezionale, per i casi come il nostro. Costerà poco o niente. È una grossa carità...

Cosí Dino rimase in collegio, e l'Elvira ci lasciò scrutandomi inquieta, assicurandomi che avrebbe portato altra roba, che adesso Dino ci faceva paravento. Mi passò anche i saluti di sua madre e dell'Egle. Disse che a tavola mettevano il mio piatto ogni sera. Era successo che sia lei che sua madre mi avevano sognato che scendevo le scale, e queste cose si avverano sempre.

## XVIII.

Dino capí da una mia occhiata e da un cenno, che prima d'allora non c'eravamo mai veduti. Gli chiesi la sera, mentre entravamo in cappella, se non era ancora stato in un collegio. Mi rispose, senza levare gli occhi, che prima stava con la mamma. Fece meglio di me la commedia: sbalestrato com'era, non dovette certo fingere. Ci passavano intorno ragazzi, qualcuno ascoltava. Gli dissi allora che per vivere in collegio bisogna scordarsi la vita passata, nemmeno parlarne. – Chi chiacchiera, – dissi, – è una donnetta, non un uomo.

Il giorno dopo lo vidi che correva e gridava con gli altri ragazzi. Meno male. Non faceva il musone, non stava in un angolo: io mi chiedevo se al suo posto sarei stato cosí bravo. Sentii persino un certo orgoglio dispettoso e mi dissi che, va bene, lui era un bambino, ma la stoffa di noi due era simile. Se Fonso, pensai, fosse chiuso in collegio, farebbe la vita che faccio? Già l'idea era assurda. Fonso correva le montagne e rischiava la pelle. Com'era possibile? Tutti i suoi giorni erano morte, come a me quel mattino che dovevo essere preso. Nemmeno negli anni lontani, nemmeno bambino, avevo avuto il sangue ardito di Fonso. Ero diverso anche da Dino. E adesso Dino non aveva piú nessuno se non me.

Lo guardavo correre. Lo guardavo dare spintoni ai compagni in cappella. Lo guardavo sbirciar le vetrate e pregare. Aveva un maglione sotto la giacchetta, le mani tozze e arrossate, gli occhietti cocciuti. Metteva un grande impegno a giocar bene il nostro gioco, a restare impassibile, a farmi furbeschi saluti. Mi ricordavo dell'estate, di Gordon, della conca dei selvaggi, degli uomini gialli. Pensavo che tutto si avvera, anche le voglie inconcludenti di un ragazzo.

Era ormai chiara primavera, e la domenica i ragazzi uscivano in colonna per Chieri e la campagna. Io respiravo l'a-

ria fresca e il sole nel cortile deserto. Mi chiedevo se la
guerra sarebbe finita sotto quel cielo, entro aprile, entro
maggio. Le notizie, le radio, tornavano a scuotere il sangue.
Dappertutto infuriavano offensive, grandi sbarchi, speranze. Avevo una volta messo il naso fuori dal portone. Da
quando sapevo che nessuno era piú stato a cercarmi, ero
uscito nella viuzza, ero giunto a una piazzetta – solenne e
incredibile, c'era una chiesa e un campanile – avevo visto
dietro i tetti la collina, la collina del Pino lontana, violacea.
Ma valeva la pena correre rischi, se la guerra finiva domani? Stavo meglio in cortile. Non invidiavo quanti andavano
a passeggio. Li ascoltavo parlare quando rientravano.

Si sapeva della caserma dei militi, che neri e bestiali battevano le campagne e di notte sparavano ai vetri. Loro nemici erano i giovani di leva e gli sbandati renitenti. I ragazzi del Sud, rifugiati con me nel collegio, gli passavano sotto
i baffi, gli contendevano le donne dei caffè. Mi raccontava-
no ghignando le loro imprese: storie di beffe, di panchine,
di prati. Non vollero smettere nemmeno quando i neri am-
mazzarono in piazza un patriota. – Fetente, – dissero, – girava armato, si capisce –. Un giorno il rettore ci chiamò tutti quanti e ci fece la predica. Che la smettessimo di andare
a donne. Il buon nome, i ragazzi. Se anche i tempi erano
gravi, niente scusava quel disordine. La salute comincia da
un vivere onesto. Non ci parlò dell'altro rischio.

Un altro giorno colsi Dino che discuteva la guerriglia in
un crocchio di compagni. Davano addosso a uno di loro,
lungo e ossuto, che difendeva la repubblica. Gli chiedevano
sarcastici perché non veniva piú a scuola in divisa. Qualcuno gli dava spintoni. Dino, bassotto tra i piú accesi, strillava: – E allora dov'è il socialismo? dov'è il socialismo? –
Ma già padre Felice s'era messo dentro il crocchio e li zitti-
va. – Non lo sapete ch'è peccato? – disse, burbero, ai grandi. Li fece ridere e ne prese qualcuno a scapaccioni. Non mi
piacque la smorfia di Dino.

Lo raggiunsi piú tardi, seduto sul piede di una colonna.
Mi vide venire e non alzò il capo. Gli chiesi se era quello il
modo di farsi provocare, se era cosí che si tenevano i segreti. – Se tu fossi con Fonso, – gli dissi, – ti avrebbero fucilato da un pezzo. Sei come Giulia, – dissi piano, – non sai tener la bocca chiusa.

Mi guardava perplesso e quieto. – Voglio andare da Fonso, – disse. – Non voglio piú tornare a casa dalla vecchia.

Me l'aspettavo, e lasciai che parlasse. Lui sapeva un cortile a Torino dove facevano recapito le staffette di Fonso. I portinai lo conoscevano. Era stufo di donne. Voleva trovarsi in montagna, restare con gli altri.

– È difficile, – dissi. – Se ti volessero ti avrebbero chiamato. Chi sa dove sono adesso i reparti. I tedeschi rastrellano dappertutto.

Poi gli dissi che doveva ubbidire alla mamma e restare con me. – Non sai tenere la bocca chiusa. Se ci ricaschi ti rimando dalla vecchia.

In quei giorni si leggevano notizie di scontri sulle montagne, di concentramenti tedeschi, di un'offensiva risoluta a sterminare i patrioti. Era comparso un manifesto di una grossa mano di ferro che stritolava banditi e sotto scritto « Cosí muore chi tradisce ». Anche i fascisti inferocivano. Da Torino, da tutto il Piemonte, quasi ogni giorno si parlava di condanne, di sevizie mai viste. « Se Nando è ancora vivo, – dicevo – è un miracolo ».

Passeggiavo la sera con padre Felice in un gran corridoio dove per mezz'ora i ragazzi vociavano prima del silenzio. Qualcuno degli assistenti c'incontrava alle svolte, diceva la sua. Un loro scherzo era di chiedergli improvviso: – Padre Felice, a noialtri può dirlo. Chi è suo figlio di questi ragazzi?

– Dovresti esser tu, – rispondeva. – Ti avrei già messo a pane e acqua.

Dino strillava in mezzo agli altri e qualche volta le buscava. – Quel ragazzo, – disse padre Felice, – lo vede? È un vero figlio della lupa, uno dei frutti della guerra. Padre e madre in prigione, lui sopra una strada. Chi ne ha colpa?

– Ne abbiamo colpa tutti quanti, – dissi, – abbiamo tutti detto evviva.

Padre Felice stringeva il breviario sotto il gomito. Si riscosse, crollando le spalle. – Comunque sia andata, – disse, – tocca a noialtri rimediare. Non è il solo.

Poi apriva il breviario, sbirciando i ragazzi. Del breviario avevamo parlato un mattino. Gli avevo chiesto di lasciarmelo sfogliare, non ci avevo capito gran che – era tutto pieno di preghiere in latino, di salmi e gloria, di giaculatorie, vangeli, e meditazioni. Vi si leggeva di feste, di santi; per ogni giorno c'era il suo, decifrai storie orribili di patimenti e di martirî. C'era quella dei quaranta cristiani buttati nudi a morire sul ghiaccio di uno stagno ma prima il carnefice gli

spezzava le gambe; quella di donne fustigate e arse vive, di
lingue tagliate, d'intestini strappati. Stupiva pensare che le
pagine ingiallite di quell'antico latino, le barocche frasi con-
sunte come il legno dei banchi, contenessero tanta vita spa-
smodica, grondassero di un sangue cosí atroce e cosí attua-
le. Padre Felice mi disse che del breviario bisognava recita-
re soprattutto l'officio. Delle storie dei santi disse che molte
erano entrate in quelle pagine chi sa come, eran pura leggenda, e che da un pezzo si attendeva che l'autorità rivedes-
se il testo e lo sfrondasse. A leggerlo bene ogni giorno ci
voleva troppo tempo.

– Ma quello che importa, – gli dissi, – non sarà se un
martirio è avvenuto davvero. Si vuole che chi legge non di-
mentichi quanto costa la fede.

Padre Felice annuí, chinando il capo.

– Piuttosto, – gli dissi, – serve a qualcosa rileggere sempre le stesse parole?

– Trattandosi di preghiere, – disse padre Felice, – non
conta la novità. Tanto varrebbe rifiutare le ore del giorno.
Nel giro dell'anno si riassume la vita. La campagna è monotona, le stagioni ritornano sempre. La liturgia cattolica accompagna l'annata, e riflette i lavori dei campi.

Questi discorsi mi calmavano, mi davano pace. Era il mio
modo di accettare il collegio, la vita reclusa, di nascondermi e giustificarmi. Le poche volte ch'ero uscito per Chieri
e mi ero spinto fino al viale d'accesso, non avevo veduto che
piazzette tranquille, bassi portici, e chiese, rosoni, portali.
Era incredibile che in questo e negli altri paesi, dappertutto in provincia, scorresse il sangue, si tendessero agguati,
non ci fosse piú legge. Quel vecchio mondo del culto e dei
simboli, della vigna e del grano, delle donnette che prega-
vano in latino ma capivano in dialetto, dava un senso ai
miei giorni, alla mia vita rintanata. Non c'era nulla di diverso: vedevo bene che dai boschi ero passato in sacrestia.

Ma neanche stavolta durò. Sentii parlarne in refettorio.
Lo spilungone che era stato avanguardista si vantava di voler denunciare il collegio, di avere amici alla brigata nera,
di essere pronto a fare i nomi dei renitenti nascosti. Quella
notte non chiusi occhio. Dissi a Dino di farci attenzione. Se
finivo in caserma, ero morto. Ricominciò quel batticuore
della fuga, l'angoscia dell'alba. Ne parlai con padre Felice.
Non si poteva far nulla. Punire il ragazzaccio era peggio.
Poi un giorno il rettore rientrò col cappello negli occhi, mi

fece cenno di seguirlo, e mi portò sotto la scala. – Che nessuno ci veda, – mi susurrò senza fermarsi. – Lei farà bene ad assentarsi. C'è pericolo, e molto.

Cosí partii senza dir nulla a nessuno. Dino era in classe e non lo vidi. Me ne andai col fagotto, com'ero venuto. Lasciai Chieri, palpitante e felice, e al tramonto, col sole negli occhi, sulla vetta dei colli brulli ma umidi di primavera, spaziavo lo sguardo come da tempo avevo ormai dimenticato. Giunsi alla villa con cautela e nessuno mi vide. Il primo saluto l'ebbi da Belbo che balzò sulla ghiaia.

Quella sera cenammo piú tardi del solito, ascoltammo la radio e si parlò della guerra, di Dino, di quell'altro precoce delinquente. L'Elvira disse, dominandosi, che gente cosí ce n'era pure nelle ville e se i tedeschi non mi avevano cercato sinora era perché le loro spie mi sapevano lontano. Nessuno doveva vedermi, dichiarò la madre.

Stetti nascosto qualche giorno, non mi feci vedere nemmeno dall'Egle; osservavo il frutteto dalla finestra socchiusa. Godevo a trovarmi nell'ambiente consueto avendo in cuore altri pensieri e speranze. Cos'avrei dato per sapere di Cate e degli altri. L'Elvira mi disse che le Fontane erano state chiuse a chiave, non si sapeva da chi. Uscivo la sera in frutteto con Belbo, guardavo nel buio verso Torino dove tante cose accadevano; le stelle rade tra gli alberi spogli parevano i boccioli sui rami. Non avevo che fare; pensavo a Dino dappertutto, alle cose che Cate diceva; costernato ammettevo che, se Cate non sarebbe uscita viva, da nessuno avrei saputo mai piú se era mio figlio. Forse adesso vuol dirmelo, pensavo, forse piange perché non l'ha detto. Forse ha ragione padre Felice e tocca a me, tocca a chi resta, rimediare.

Un giorno l'Elvira disse: – Da Torino hanno chiesto di lei. La segretaria, che conosce l'Egle, le manda gli augurî.

Queste sciocchezze mi facevano piacere, mi ridavano vita, come a un cane una carezza sul collo.

Passò cosí una settimana, ma stare in casa mi pesava. Tornare a Chieri non osavo ancora. Ne parlai con l'Elvira e lei disse: – Chi sa come sta quel ragazzo. Bisogna almeno che gli porti le mele.

Cosí l'indomani fece lei la gita. Passai la giornata leggendo. Quando tornò, era inviperita, senza fiato. Dino mancava nel collegio da sei giorni.

La lasciai scaricarsi contro i preti e il portiere. Non le

chiesi nemmeno se avevano fatto ricerche, se si avevano tracce. Dov'era andato, lo sapevo. Lo sapevo da un pezzo. Non dissi nulla, e me lo vidi camminare per Torino, starsene zitto, buttarsi nei fossi, arrivare lassú.

Nient'altro accadeva in collegio. Il nostro era stato un allarme inutile. Il rettore diceva che potevo rientrare.

Lasciammo passare due giorni. Dissi all'Elvira della casa oltre Dora, dove forse qualcosa sapevano di lui o dei suoi. Io laggiú non potevo arrischiarmi. Pensavo sovente: « Se Cate ritorna e mi chiede dov'è? »

Poi mi decisi e ritornai a Chieri. Dissi all'Elvira di portarmi ogni notizia. — Se Dino non trova nessuno, — le dissi, — sa la strada e ritorna —. Per tutto il tragitto immaginavo di vedermelo sbucare davanti, di pigliarlo per mano, di andare con lui. Invece all'entrata di Chieri incontrai la pattuglia dei militi. Mi vennero incontro sornioni sbucando dal viale. Uno era giovane, un ragazzo; gli altri tre, facce nere e cattive. Tenevano il fucile imbracciato, a canna in giú. Mi passarono accanto e non dissero nulla.

XIX.

Venne maggio e anche in collegio le giornate si fecero piú
vive e rumorose. Nel cortile buio la sera, e nella luce odo-
rosa e fredda del mattino, era un perenne vociare, un accorrere, un pullulare di notizie. Le scuole finivano a giorni, l'a-
vanzata alleata era in corso e aveva innanzi mesi e mesi di
bel tempo. Dei miei colleghi nascosti, quei ragazzi del Sud,
già qualcuno era partito per raggiungere le linee e salvarsi.
Le camerate si vuotarono, si vuotò il refettorio: i convit-
tori rincasavano. In pochi giorni si dispersero per le campagne, e restai nel collegio deserto, tendendo l'orecchio ai
passi radi di un prete o di un ritardatario. Era inteso che
noi assistenti potevamo mangiare e dormire come prima,
ma in quel silenzio, in quella pace, non pensavo che a Dino.
Mancava da quasi un mese, e ci soffrivo al punto che, se
avessi saputo come, sarei partito a cercarlo. Adesso erano
tali le notizie della guerra, che di montagne e di ribelli non
si sentiva piú parlare. Forse non c'era piú pericolo. Ma la
gita dell'Elvira mi tolse la voglia.

Venne a dirmelo apposta, in collegio. Era stata a Torino,
oltre Dora, era stata alle carceri, aveva tirato in mezzo qualche prete. Del ragazzo nessuna notizia; se davvero era arrivato in montagna, nelle ultime settimane era finito chi sa
dove. Certe bande, si diceva, sconfinavano in Francia. Non
era posto da bambini, lassú. Tutti gli altri, le donne, la madre, i parenti, un mese prima erano stati deportati. L'aveva
detto un cappellano che sapeva la storia delle Fontane e che
aveva creduto li fucilassero tutti. – Ma è lo stesso, – diceva, – di là non ritorna nessuno.

Che altro fare sotto il portico vuoto se non riassaporare
mattino e sera l'antico spavento? Potevo sí andare a passeggio, riattraversare le campagne e le piazze, ma trascorrere i giorni in quella inutile attesa mi sembrava ogni giorno piú futile. Adesso che il passato era soltanto una piccola

nube, una pena, un comune rimpianto, quel soggiorno in collegio diventava fastidioso come stare in carcere.

Non potevo tornare alla villa. Potevo soltanto riandare il passato, ripensare gli scomparsi a uno a uno, riascoltarne le voci, illudermi che qualcosa di loro mi restasse. Mi pareva di esser molto cambiato dall'anno prima, da quando passeggiavo per i boschi tutto solo e la mia scuola mi attendeva a Torino, e aspettavo paziente che la guerra finisse. Adesso Dino era stato con me in quel cortile, sua madre me l'aveva mandato. Dino era un grumo di ricordi che accettavo, che volevo, lui solo poteva salvarmi, e non gli ero bastato. Non ero nemmeno sicuro che, incontrandolo, mi avrebbe fatto caso. Se fossi sparito coi suoi, non mi avrebbe degnato di un ricordo di piú. Veramente la guerra non doveva finire se non dopo aver distrutto ogni ricordo e ogni speranza. Questo già allora lo capivo. E capivo perciò, che avrei dovuto uscir dal portico, scavalcare i ricordi, accumulare un'altra vita. L'immagine di tutti che andavano – gli assistenti, Dino, l'Elvira – mi metteva la smania. Senza paura era impossibile restare in collegio. Capivo Dino. Capivo padre Felice. Avrei dovuto essere un prete.

L'Elvira mi aveva portata un'altra lettera dei miei, che mi diceva, come sempre, di raggiungerli durante le vacanze. Nessuno mi avrebbe cercato lassú; quello era certo il nascondiglio piú sicuro. Decisi di andarci, prima ancora di dirmelo. Ci pensai giorno e notte atterrito ripetendo « C'è tempo », ma sapevo di avere già scelto. L'ultima volta c'ero stato l'anno prima della guerra, e m'ero detto già allora: « Se almeno morissi quassú », perché, a immaginarla in anticipo, la guerra è un riposo, una pace.

L'Elvira non voleva saperne. Non disse che dai miei correvo rischi; sapeva benissimo che a casa nessuno mi avrebbe cercato; parlò del viaggio, dei casi imprevisti, mitragliamenti, brutti incontri, ponti interrotti. Se me ne andavo, le lessi negli occhi, sarei ritornato? Le dissi allora che ero a corto di quattrini; non potevo piú vivere alle spalle degli altri; presto o tardi, le dissi, chi è mantenuto si ribella. – Ma questa guerra finirà, – si difese indignata. – Dovrà pure finire. E allora potrà sdebitarsi tornando con noi.

Le chiesi un sacco da montagna con le cose indispensabili. Le dissi di non dire a nessuno, nemmeno alla madre, che facevo quel viaggio. – Del resto, – osservai, – non è detta che arrivi –. Lei avrebbe voluto un recapito. – Non c'è bisogno, – le risposi, – non cambio vita, cambio tana. Meglio nascondere le tracce.

Quando mi lasciò solo col sacco, respirai. I primi giorni li passai tranquillo, convinto che adesso potevo restare, che fare o non fare dipendeva da me. Povera Elvira, mi credeva già partito. Mi accorsi in quei giorni che pensando di andarmene avevo mirato a staccarmi da lei, a impedirle d'impegnarsi dell'altro. Sapevo bene quel che aveva in mente.

Ma una mattina trovai pieno di tedeschi. In quei giorni non c'erano né padre Felice né il rettore, erano andati a Torino – io li aspettavo per sentire se sui treni si correvano rischi. I tedeschi non dissero nulla, si stabilirono in collegio. Erano truppa e sussistenza, scaricavano roba. Ma il portiere mi venne a cercare e mi chiese che nome dichiaravo: il comando tedesco voleva la lista di tutti i dipendenti. Allora presi il mio sacco e me ne andai.

Per salire sul treno senza tornare a Torino, dovevo dar le spalle alla collina, e camminare sotto il sole strade ignote. Col cuore in gola mi diressi in pianura, sapendo che a sera avrei rivisto le colline e sarebbero state le buone. Ma comparvero molto piú presto. Io scrutavo la strada, se ci fossero posti di blocco, e vidi in fondo all'orizzonte, tra i pali e le nuvole basse, un azzurrino leggero e un po' brullo. Non mi fermai fin che non giunsi a due passi dai colli – Villanova, la strada ferrata era lí. Mi sedetti a un muricciolo. Passavano ragazze in bicicletta, né tedeschi né militi; io morsi il mio pane e guardavo le piante, la collina selvosa, il cielo aperto – invidiai Dino che da mesi correva i sentieri. Non avevo camminato due ore.

Ebbi tempo a seccarmi della banchina, della piccola stazione, del versante dei colli. Via via che la gente aumentava, riprendevo baldanza; avevo scordato da un pezzo che il mondo formicola di facce e di voci, e parlavano tutti di fame, di fughe, di guerra, ridendo e salutandosi. Anche il treno l'avevo scordato; quando spuntò fra le gaggie e lí per lí non rallentava, mi prese come un bimbo nel suo turbine. Una volta salito, mentre la corsa riprendeva sbatacchiando tra il verde, seppi che il ponte sopra il Tanaro era stato interrotto e là bisognava discendere. Inoltre sentii che pattuglie percorrevano il treno e fermavano chi non aveva un permesso speciale.

XX.

Ma ad Asti le nuvole basse riempivano il cielo, si levò il
vento e il crepuscolo cadde subito; quando saltammo giú
dal treno, a noi non badò nessuno. M'incamminai lungo il
binario, e nella luce livida del piovasco vidi cabine e serba-
toi maciullati, grosse buche, pali rotti. Fui presto in campagna. Un'arcata del ponte era caduta. Feci in tempo a orien-
tarmi e sotto le prime folate d'acqua mi cacciai in un cortile
coperto.

Qui ci trovai della gente e dei carri; era un portico di
stallaggio, qualcuno seduto sui fagotti rideva. Tra l'andi-
rivieni e i lampi sentivo voci cadenzate e terrose, già tutte
impastate del mio dialetto. Questo fatto mi diede coraggio.
« È destino che trovo sempre dei portici », pensai.

Mangiai qualcosa, un grosso piatto di minestra e un po'
di pane, che andai a prendermi in cucina nell'unto e nel fumo. Altri stavano dentro nel grande stanzone e mangiavano insalate e bevevano. C'erano donnette, viandanti, carrettieri. Sotto il portico si parlava di pioggia e di strade, di
condotte, di qualcosa di grosso che succedeva nella valle
del Tanaro. Io dissi che andavo in un certo paese; chiesi
soltanto se era facile risalire la vallata. Parlai in dialetto.
Un carrettiere mi guardò, dalle scarpe alle spalle. – Per passare si passa, – mi disse, – è restarci che è brutto –. Da qualche giorno lassú ci operavano i tedeschi e soltanto le donne
dormivano nelle case. – Si sta a vedere, – disse un altro dalle fasce grigioverdi. – Se i tedeschi passano, si taglia il grano. Se invece si rompono i denti...

Pensai che la mia era un'altra vallata, e bisognava traversare altre colline. Qualcuno me lo sentí nella voce e chiese
agli altri: – Sulla Langa come stiamo?

Sulla Langa c'era battaglia continua. Secondo i paesi. C'e-
rano zone tutte in mano ai nostri. Finché durava, si capisce.
Vero pericolo non c'era per le strade, ma sui ponti e nei pae-

si. Rividi il mio ponte di ferro, dove da bimbo facevo rimbombare i passi. Nominai un paese vicino, dove s'andava per quel ponte. – Laggiú c'è la repubblica, – dissero.

Confusione e temporale occuparono quasi tutta la notte. Il coprifuoco impediva di muoversi; chi partiva avanti l'alba non chiese nemmeno una stanza. Io mi buttai sopra dei sacchi e il carrettiere mi prestò una coperta. Per giugno, era freddo. Qualcuno aveva versato un vassoio di vino, e tutta la notte nel buio ventoso fiutai quel sentore. Le voci rauche, assonnate, parlavano parlavano di cene e di cose passate.

Alla prima luce il carrettiere si mosse. Faceva la mia strada ma soltanto fino a metà valle. Era grasso, taciturno, occhi offesi. Guardò il cielo freddo e chiaro e disse: – Andiamo.

Andammo tutta la mattina, seduti ai due lati con le gambe penzoloni. Non parlammo gran che; per creanza gli dissi che venivo da Torino dov'ero stato a lavorare, e rientravo dai miei. Levò gli occhi e mi disse: – Vi conveniva la ferrata, per Alessandria.

Potevo spiegargli che le stazioni mi facevano paura? che preferivo il cigolio del suo carro? Con quella vita che lui conduceva avrebbe riso dei miei guai, se pure i suoi occhi ridevano. Non era triste né arrogante, era solo. Sotto il cielo coperto sbirciai la collina; c'era su un poggio una chiesetta, un pino nero; come sempre pensai che buon nascondiglio avrebbe fatto la chiesa lassú. Sui versanti svariavano vigneti e grano, freschi ancora di pioggia; non ricordavo cosí vive e cosí dolci colline.

La lentezza del carro m'impazientiva. Parlai del tempo. Chiesi al grassone se almeno di notte o quando pioveva le strade erano piú sicure. Mi disse che lui preferiva la luce del sole; nel lusco può sempre arrivarti la botta di un altro; di giorno almeno, patrioti o tedeschi ti vedono in faccia. Parlava senza simpatie, era testardo.

Incontrammo i tedeschi, un'automobile ferma a mezza salita. Le divise verdognole parevano colore della strada bagnata. Il carrettiere balzò a terra, io fissavo un boschetto sulla collina.

Poco dopo ci raggiunse e superò, fragoroso, un grosso camion, pieno di divise screziate, di ragazzi col basco, di canne di fucile. – Mandano avanti la repubblica, – brontolò il carrettiere, – stasera mangiamo il maiale.

Al primo paese li trovammo in piazza fermi. Tedeschi in
motocicletta mettevano piede a terra e ripartivano, dagli
usci qualche donna osservava. Si sentí un colpo di fucile chi
sa dove, nessuno fece caso.

Adesso il carretto trabalzava sui ciottoli. Dovetti scendere. Sbucò un marinaio col fucile pronto. Ci fermammo e,
mentre il mio amico frugava nella cassetta, quello, un biondo lentigginoso, alzò il telo che copriva il carico di aratri,
guardò. Fece segno di proseguire.

Riusciti in strada aperta, dissi a un tratto, cosí per parlare: – C'è un confine tra questi e quegli altri?

Non disse nulla e sputò in terra.

– Voi ne avete già visti? stanno anche loro nei paesi?

– Magari, – mi disse, – li abbiamo lí sulla collina. Notte
e giorno si tengono d'occhio.

Ormai, pensavo, sono in ballo. Se mi fermano, è fatta.
A Chieri non potevo restarci. Alla villa, nemmeno. Se pensavo agli spaventi dell'inverno, al collegio, mi sentivo te-
merario, incosciente, ragazzo. Sapevo bene che in tutta la
Langa non c'era un tedesco che sapesse il mio nome, ma ormai ci avevo fatto il callo e il terrore di tutti era anche mio:
ogni spavento mi serviva per scusarmi.

Risalimmo sul carro. Smisi di parlare, perché mi accorsi
che ricadevo sempre lí su quel discorso.

– Siamo ai Molini, – disse a un tratto l'amico. – A voi
conviene levarvi le scarpe e traversare. Mi fermo laggiú.

Mentre il carro proseguiva cigolante, ci accomiatammo
e gli gridai quel nome, la strada del ponte di ferro. Mi fece
segno vagamente a una collina oltre Tanaro, stette a guardare incamminarmi, e sputò sulla strada.

Passata l'acqua e il largo greto, salii la collina con passo
spedito. Mi chiedevo camminando dove Dino avesse dormito, mangiato; se i carrettieri bazzicavano anche di là da
Torino, sulla montagna. Era partito col soprabito e la sciarpa. Se non fosse arrivato da Fonso, mi dissi, sarebbe tornato. Un ragazzo non corre pericoli.

La mia strada si snodava fra campi e vigneti, ben diversa dalla collina di Torino: qui le coste biancheggiavano la-
vorate e rotte; non c'erano boschi. I boschi non c'erano ancora, si sentivano buoi muggire, galline starnazzare; perfino
l'aria era molle e sapeva di casa – eppure andavo lesto,
guardandomi attorno, in ascolto, come quando mi cacciavo
con Belbo nelle conche del Pino tendendo l'orecchio ai se-

greti terrestri, alle radici, al terrore perenne che regna nella macchia. Adesso fuggivo davvero, come fugge una lepre.

Prima di sera attraversai due o tre paesi, la strada saliva; in distanza sulle punte dei colli si vedevano chiese, cascine isolate. Da quando avevo passato il Tanaro, né automobili né motociclette mi raggiungevano o incrociavano; vidi soltanto qualche carro tirato da buoi, e sulla piazza di un paese pochi scalzi sfaccendati. Cenai con pane e pomodori che mi vendette una donnetta stridula; mi chiese se mi ero sperduto. – Vado a casa, – le dissi. – Ah fate bene, fate bene, – mi gridò. – Non è mica una vita.

Capii dopo, che mi aveva preso per un partigiano. La cosa mi mise in orgasmo. Non potevo tra l'altro informarmi dove ce ne fossero, perché mi avrebbero creduto una spia. Dovevo andare, andare sempre e non voltarmi. Quella sera feci l'ultimo pezzo di strada fra i campi deserti, tra le nuvole basse. Si sentivano i grilli. Ero salito, salito; camminavo su una cresta.

Da dormire me ne diede un giovanotto scalzo che, seduto nel fossato di un campo, fumava la sigaretta. Non aveva che camicia e pantaloni sbrindellati; in testa un berretto di maglia. Gli dissi fermandomi: – È lunga per la valle?

– Volete fare la stazione? – disse senza riscuotersi, nel mio stesso dialetto. – Non vi conviene, c'è il posto tedesco.

– Non ho paura dei tedeschi, – dissi allora, – devo andare di là dalla valle.

– Piú in là ci sono i partigiani, – disse lui, senza scomporsi.

– Non ho paura di nessuno, vado a casa.

Scosse il capo e batté la sigaretta, con delicatezza. – C'è un giro da fare, prendendo i sentieri. Ma adesso è tardi. Vi conviene aspettare domani.

Mi fece traversare quel campo e un boschetto. Dietro un ciliegio cominciava un caseggiato nerastro, una stalla. Dei fienili e dei pagliai; sotto la cresta, al livello dei campi, altri tetti bassi, a precipizio. Non avevo mai visto casolari meglio nascosti: dalla strada si vedevano soltanto spighe e i versanti lontani.

Otino – non mi chiese il mio nome – mi portò sotto le ciliege e mi disse se avevo sete. Piegammo un ramo e lo spogliammo. Lui sparava i noccioli schioccando le labbra e mi chiese se andavo dalla parte di Agliano.

– Questa mattina si vedeva il fumo.

Dissi che andavo per Rocchetta, nella valle del Belbo, e venivo da Chieri. Otino saltò sulla pianta, con quelle gambe e braccia lunghe, e cominciò a buttar giú ciocche.

– Dov'è Rocchetta? – diceva.

– Qui, paesi ne bruciano?

Non mi rispose e fischiettava. Fischiettava il segnale di attenti. – Siete stato soldato, – dissi allora.

– Dovrei, – mi rispose.

Passai la notte nel fienile, assordato dai grilli. L'aria era fredda, la nebbia o nuvole che fossero coprivano i campi. Mi seppellii sotto la paglia. Nel buio vedevo l'arcata del cielo meno nera, e stavo pronto a rintanarmi dietro il fieno al primo allarme. Non tutti hanno un letto di fieno, mi dicevo.

Mi svegliò Otino, staccando arnesi da un pilastro. C'era una luce che accecava, nebbia e sole. – Non ci arrivate di quest'oggi, – mi disse. Gli chiesi del pane. Andammo tra le case strapiombanti sulla vallata. Chiamò una donna, che portò due pagnotte. – È permesso lavarsi la faccia? – gli chiesi.

Tirammo su il secchio dal pozzo. Nella luce viva della nebbia, vidi bene la pelle abbronzata di Otino, i suoi tratti di uomo. – Quella è la strada, – mi spiegò. – Tenete sempre il sentiero che scende, trovate la ferrata; trovate il Tinella, vi buttate nei salici... – Pensai quando giocavo con Dino.

XXI.

A mezzogiorno camminavo sulle colline libere, e tedeschi e repubblica li avevo lasciati chi sa dove nella valle.
Avevo perduto la strada maestra; gridai a certe donne che
voltavano il fieno in un prato, per dove si andasse nel paese vicino al mio. Mi fecero segno di tornare alla valle. Gridai di no, che la mia strada era attraverso le colline. Coi for-
coni mi dissero di proseguire.

Non si vedevano paesi, solamente cascine sui versanti
selvosi e calcinati. Per raggiungerne qualcuna avrei dovuto
dilungarmi sui sentieri ripidi, nell'afa delle nuvole basse.
Scrutavo attento i lineamenti delle creste, gli anfratti, le
piante, le distese scoperte. I colori, le forme, il sentore stesso dell'afa, mi erano noti e familiari; in quei luoghi non ero
mai stato, eppure camminavo in una nube di ricordi. Certe
piante di fico contorte, modeste, mi sembravano quella di
casa, del cancello dietro il pozzo. Prima di notte, mi dicevo,
sono al Belbo.

Una casetta sulla strada, annerita, sfondata, mi fermò e
fece battere il cuore. Pareva un muro sinistrato di città.
Non vidi anima viva. Ma la rovina non era recente: sulla
parete, dove prima era una vite, spiccava appena la macchia
azzurra del verderame. Pensai all'eco dei clamori, al sangue
sparso, agli spari. Quanto sangue, mi chiesi, ha già bagnato
queste terre, queste vigne. Pensai che era sangue come il
mio, ch'erano uomini e ragazzi cresciuti a quell'aria, a quel
sole, dal dialetto e dagli occhi caparbi come i miei. Era incredibile che gente come quella, che mi vivevano nel sangue
e nel chiuso ricordo, avessero anche loro subíto la guerra,
la ventata, il terrore del mondo. Per me era strano, inaccet-
tabile, che il fuoco, la politica, la morte sconvolgessero quel
mio passato. Avrei voluto trovar tutto come prima, come
una stanza stata chiusa. Era per questo, non soltanto per
vana prudenza, che da due giorni non osavo nominare il mio

paese; tremavo che qualcuno dicesse: « È bruciato. C'è passata la guerra ».

La strada si mise in discesa, poi scavalcò un'altra collina. Lassú, se Dio vuole, c'era un borgo e un campanile. Mi fermai poco prima delle case, seduto su un mucchio di ghiaia; tirai fuori il mio pane. « Passerà qualche donna, un carretto ».

Dal paese venivano le voci del mezzodí: tonfi di stalla, un gridio di bambini, sciacquare di secchi. Un camino fumava. Adesso il sole aveva rotto le nubi, e dappertutto scintillava: i versanti lontani vaporavano come letame fresco. C'era un odore di stalla, e di catrame, di caldo.

Ero a mezza pagnotta, che qualcuno comparve sulla strada. Due giovanotti, ispidi e bruni, in calzoncini, con un corto fucile puntato. Non ero in piedi, che li ebbi davanti.

– Dove andate? – uno disse.

– Nella valle del Belbo.

– A che fare?

Avevano un tondo berretto e una coccarda tricolore. Mentre parlavo, mi guardavano le scarpe. Sentii tastarmi il sacco sulle spalle e indietreggiai.

– Ferme le mani, – disse il primo.

Sorrisi appena. – Vengo da Chieri, – balbettai, – vado a casa.

– Fatti mostrare i documenti.

Feci per mettere la mano in tasca. Quel primo che aveva parlato, mi fermò con la canna. Sorrise calmo. – Ho detto fermo, – ripeté.

Mi mise lui la mano in tasca, tirò fuori le carte. L'altro diceva: – Cosa fate qui?

Mentre sfogliavano le carte, io fissavo il paese. Un volo di rondini passò sopra i tetti. Dietro la testa dal berretto tondo c'era il cielo e i versanti lontani, boscosi. Di là da quei boschi ero a casa.

Il primo che aveva parlato osservava la tessera.

– In che giorno sei nato?

Lo dissi.

– Professione?

Lo dissi.

– Che paese?

Si volse all'altro e disse: – Guarda.

Allora dissi: – Il mio paese è laggiú.

— Non è vero che vieni da Chieri, — riprese, — qui dice Torino.

— Stavo a Torino, poi a Chieri.

Mi guardarono storto. — Ti conosce qualcuno?

— Mi conoscono a casa.

Si scambiarono occhiate. Quello dietro, un viso ossuto, scosse il capo. Non abbassavano i fucili.

— Sentite, — dissi incontenibile, — siete i primi che incontro. Sono scappato da Torino perché mi cercano i tedeschi.

Di nuovo quel freddo sorriso. — Tutti vi cercano i tedeschi, a sentir voi.

— Andiamo, — mi dissero.

In paese vidi un crocchio di donne davanti alla chiesa. Camminavo tra i due; non alzai gli occhi alle finestre e ai fienili. In un vicolo era fermo un furgoncino e due giovanotti, militari in tuta, gli facevano guardia. Una gallina ci tagliò la strada.

Davanti a una porta un uomo alto, in stivali e giacchetta di cuoio, rivoltella alla cintola, parlava a una ragazza che teneva in braccio un bimbetto. Rideva e festeggiava il bimbo.

Al nostro passo si voltò, e ci guardò. Aveva al collo un fazzoletto, capelli e barbetta ricciuta. Era Giorgi, il fratello dell'Egle. Lo riconobbi appena smise di sorridere.

Mosse un passo e ammiccò. Gridai: — Giorgi.

— Lo conosco, — dissi ai due.

Quando fummo vicini, ridevo. — Questa poi, — disse lui.

— I nostri incontri sono sempre storici, — gli dissi quando fummo in disparte, seduti su un muricciolo.

Mi diede una sigaretta. — Che cosa fa, sempre in borghese, sulle strade del mondo? — Parlava con quel tono seccato, di beffa, ch'era suo.

— Cosa fa lei nei miei paesi? — dissi ridendo.

Ci raccontammo i nostri casi. Non gli dissi che ero stato fuggiasco. Gli dissi che andavo dai miei, che avevo visto sua sorella, che a casa sua lo credevano a Milano. Sorrise fumando, sulla mano raccolta. — Di nessuno si sa bene dove stia in questi tempi, — osservò. — C'è il suo bello.

Una grigia automobile sbucò fuori da un cortile e andò a fermarsi all'uscita del paese. Era guidata da un ragazzo armato.

— Siete in molti quassù? — chiesi a Giorgi.

— Non conosce la zona?

– I suoi due uomini, – gli dissi, – sono i primi partigiani
che ho visto in carne e ossa.

Strinse le labbra e mi guardò. – Devo crederle? – disse. –
Non mi sembra, – e sorrise.

Mi raccontò ch'era in missione viveri. Mi disse: – Dov'è
il suo paese? – e accennò con la mano oltre i boschi. – È là
mi pare. Noialtri invece pioviamo di lassú, – mostrò la parte del tramonto. – La nostra vita è tutta qui: corse, requi-
sizioni, corvé. Annoiarsi non serve. C'è il suo bello anche in
questo.

Strinse le labbra e cacciò il fumo. Allora arrischiai la domanda. Gli dissi che l'ultima volta che l'avevo veduto, lui
parlava di guerra, ma di guerra fascista. Si era messa una
certa divisa, ce l'aveva con certe persone. Possibile che adesso la grazia l'avesse toccato?

– La disgrazia, – mi disse. – Per mia disgrazia avevo fatto un giuramento.

– Ma la guerra fascista era un'altra. Chi sono adesso i
sovversivi? – dissi.

– Tutti quanti, – rispose. – Non c'è piú un italiano che
non sia un sovversivo –. Sorrise secco, bruscamente. – Non
crederà che si combatta per quei fessi suoi amici.

– Quali fessi?

– Quelli che cantano « Rivoluzione » –. Buttò la cicca
con disgusto. – Finito il lavoro coi neri, – tagliò, – si comincia coi rossi.

– Credevo che andaste d'accordo, – dissi.

Tacemmo e guardavo la valle.

– Domani spero di arrivare a casa, – ruppi lasciando il
muricciolo. – Se, beninteso, non mi arresta qualcuno per
strada.

Scosse il capo, serio. – Lei dev'essere pieno di salvacon-
dotti, – disse. – Non è da tutti cacciarsi quassú a passeggiare.

Assistetti alla loro partenza verso il cielo del tramonto.
Mi ricordai che dalla parte di quel cielo guardavo la sera
quando, ragazzo, vivevo oltre i boschi, e forse nel profilo
incendiato d'allora c'era una curva, una vetta, un alberello
di questi. I partigiani salirono sui loro mezzi – sbucò un'altra macchina – erano forse una decina di ragazzi con Giorgi,
uno tra loro infarinato, un panettiere. Rividi i due che mi
avevano fermato, non mossero ciglio. I motori partirono
con fracasso, valicarono il colle, sparirono. Sentii cantare
d'improvviso.

Rimasto solo – il pomeriggio avanzava – m'informai dai paesani. Avevo fatto un giro inutile: di bivio in bivio ero andato riaccostandomi al Tanaro; bisognava che tornassi di parecchi chilometri e prendessi la valle, che poi dovevo risalire sempre tendendo a un campanile lassú in mezzo ai boschi, da cui passava lo stradone e si vedevano piú oltre le vere colline, le mie. Difficilmente ci arrivavo di stanotte. Ma potevo dormire al santuario, disse una donna.

Chiesi se c'erano pericoli. Qualcuno sorrise. – Voi siete di qui. La casa può cascare in testa a chiunque –. Ma la donnetta disse no, non se passavo dal santuario.

A metà pomeriggio ero disceso al fondovalle. Adesso che sapevo del campanile lassú, non temevo di perdermi. Andavo cauto, zoppicando un poco, trascinando il piede, come per essere piú innocuo. Andavo in senso inverso al mattino, passavo sentieri, piccole forre, una croce di legno rizzata per voto. Il cielo altissimo era chiaro. A metà costa di quella collina, mi attendeva un gruppetto di case nitide, sullo stradone per cui mi arrampicavo. Avevo già raggiunto e superato un contadino coi suoi due buoi aggiogati. Mi raggiunse a sua volta il ruggito di un motore d'autocarro, mi volsi e vidi la gran nuvola di fumo; poi comparvero, due grossi furgoni, veloci e svolazzanti, pieni di baschi grigioverdi e cartuccere e facce scure. Chinai la testa alla ventata. Se mi avessero sparato una scarica addosso, l'urto e il fragore eran gli stessi.

Non si voltarono a guardarmi, erano spariti. Mentre seguivo mentalmente la volata dei fascisti – mi chiesi se andavano fino al santuario, se qualcosa accadeva nei paesi lassú – pensavo ancora all'impressione di scoppio, di bomba, che m'avevano fatto.

Ma un colpo esplose, vicinissimo, in capo alla strada. Una raffica e un colpo. Poi urlacci, altri colpi di fuoco. I motori s'erano fermati; l'aria vibrava dei ronzii dolenti delle pallottole. – Arrendetevi, – urlò una voce. Ci fu una pausa, un silenzio profondo, poi ripresero i tonfi e gli scoppi, e i sinistri ronzii come fili d'acciaio guizzanti sui pali delle vigne.

Ero saltato dietro i tronchi, e ad ogni colpo indietreggiavo, mi chinavo, mi appiattivo nell'erba; nelle pause correvo a ritroso la strada. Il crepitio continuava, botte nette e mortali. Vidi in fondo alla strada quel contadino, fermo insieme ai suoi buoi.

Quando l'ebbi raggiunto la sparatoria era piú fitta e lamentosa. Quei tonfi sordi erano bombe a mano e scoppiavano attutiti. Gli schianti delle pallottole invece gemevano come voci di vivi.

Il contadino aveva cacciato per traverso i suoi buoi dentro un canneto. Mi vide arrivare. Nel silenzio mortale che seguí fece un salto per nascondersi meglio; era vecchio, e pendette malamente aggrappato alle canne. Allora il bue cacciò un muggito.

– Piano, – gli dissi, – nascondetevi –. Saltai nel canneto e mi cacciai l'uomo davanti.

Ma la battaglia era finita. Tutto tacque d'improvviso sulla strada e lassú. Tesi l'orecchio se i motori riprendevano, se qualcuno fiatava.

Il contadino stava chino in mezzo ai buoi. Per nasconderli meglio, li spinse a casaccio nel folto; fu un crepitare di canne; gli gridai sottovoce di smetterla.

Allora il vecchio si sedette, tenendo in mano la cavezza.

## XXII

Stemmo cosí molto tempo. Da un pezzo ormai s'era sentito il motore riattaccare, e un contrasto di voci tra gli alberi. Poi il rombo si era allontanato.

Spuntò una donna alla svolta. Scendeva correndo. La attesi in mezzo alla strada e le chiesi che cos'era successo. Mi guardava atterrita. Aveva sul capo lo scialle. Anche il vecchio dei buoi sporse la faccia dalle canne. La vecchia gridò qualcosa, si strinse le mani alle orecchie; io le chiesi: – C'è gente lassú? – Lei annuí, senza parlare, col mento.

Sbucò alla svolta un giovanotto in bicicletta. Veniva giú a rotta di collo. – Si può passare? – gli gridai. Lui buttò a terra un piede scalzo, stette su per miracolo, mi gridò di rimando: – Ci sono morti, tanti morti.

Quando giunsi cautamente alla svolta, vidi il grosso autocarro. Lo vidi fermo, vuoto, per traverso. Una colata di benzina anneriva la strada, ma non era soltanto benzina. Lungo le ruote, davanti alla macchina, erano stesi corpi umani, e via via che mi avvicinavo la benzina arrossava. Qualcuno in piedi, donne e un prete, s'aggirava là intorno. Vidi sangue sui corpi.

Uno – divisa grigioverde tigrata – era piombato sulla faccia, ma i piedi li aveva ancora sul camion. Gli usciva il sangue col cervello da sotto la guancia. Un altro, piccolo, le mani sul ventre, guardava in su, giallo, imbrattato. Poi altri contorti, accasciati, bocconi, d'un livido sporco. Quelli distesi erano corti, un fagotto di cenci. Uno ce n'era in disparte sull'erba, ch'era saltato dalla strada per difendersi sparando: irrigidito ginocchioni contro il fildiferro, pareva vivo, colava sangue dalla bocca e dagli occhi, ragazzo di cera coronato di spine.

Chiesi al prete se i morti erano tutti di quelli del furgone. Il prete energico, sudato, mi guardò stravolto e mi disse

non solo ma nelle case piú avanti era pieno di feriti. – Chi
aveva attaccato?

Partigiani di lassú, mi disse, che li aspettavano da giorni.
– Loro ne avevano impiccati quattro, – strillò una vecchia
che piangeva e agitava un rosario.

– E questo è il frutto, – disse il prete. – Adesso avremo
rappresaglie da selvaggi. Di qui all'alta valle del Belbo sarà
un falò solo.

L'agguato era stato teso dietro due roccioni, che permet-
tevano di defilarsi. Non uno dei neri s'era salvato. Con l'altro autocarro i partigiani avevano portato via i prigionieri,
ma prima li avevano schierati contro un muro e minacciati:
– Potremmo ammazzarvi come fate voialtri. Preferiamo la-
sciarvi alla vita e alla vostra vergogna.

La gente faceva fagotti e cacciava fuori le bestie. Nessuno avrebbe osato dormire alle Due Rocce. Qualcuno saliva
al santuario, sperava nel luogo; qualche altro andava chi sa
dove, pur d'andare. C'era tempo fino a notte avanzata, perché il ragazzo in bicicletta, che mi aveva gridato, correva a
dare la notizia dei feriti al telefono, al posto di blocco, per
salvare il salvabile. L'indomani quelle strade e stradette sarebbero state una rete di morte.

Il prete era corso in casa: un ferito moriva. Io rimasi tra
i morti, senza osare scavalcarli. Guardavo il campanile lassú e sapevo che prima di domani non arrivavo a casa. Un
istinto mi tirava all'indietro, alla strada già corsa, a mettere
tra me e la tempesta il paese incolpevole, il Tinella, la strada
ferrata. Laggiú c'era Otino che almeno poteva nascondermi.
Se prima di notte ripassavo le stazioni tedesche, potevo
aspettare con lui che la furia finisse.

Senza guardare un'altra volta al suolo, ripartii, passai davanti al villano dei buoi che aspettava a bocca aperta davanti al canneto, tirai dritto, e un'ora dopo salivo l'ultima
collina, nel cielo già fresco, oltre la quale ci doveva esser la
valle del Tinella. Rividi parte delle creste del mattino. I
campanili, i casolari mi facevano senso; mi chiedevo se a
casa sarei sempre vissuto in mezzo a simili spaventi. Intanto andavo per la strada, sempre teso alle svolte, agli sbocchi,
non sporgendomi mai contro il cielo. Sapevo cos'era uno
sparo e il suo sibilo.

Nel crepuscolo feci il Tinella e la ferrata. Mentre aspettavo nella melma fra gli ontani, sentii lo stantuffo del treno.
Passò adagio, ansimante, un lungo merci locale, e intravidi

qualche grosso soldato tedesco in piedi sui predellini. Che viaggiassero mi parve buon segno, voleva dire che la zona era ancora tranquilla.

Saltai la ferrata e cercai la collina di Otino. Tra le gaggie era difficile orientarsi, ma le creste stagliavano nette. Presi un sentiero che mi parve il buono e lo salii, tendendo l'orecchio sulle voci dei grilli se udissi passi o scrosciare foglie. Intanto in alto pullulavano le stelle.

Otino non lo trovai ma la collina era quella. Ero stanco, affamato, strascinavo le scarpe sui solchi. Mi vidi innanzi un casotto in una vigna, di quelli per guardia dell'uva. Questo casotto era fatto in muratura, senza porta; c'entrai nel buio e, vincendo il ribrezzo, mi sedetti per terra. Mi appoggiai sopra il sacco.

Mi svegliai ch'era notte profonda, intirizzito e indolorito la schiena e la nuca. Non lontano un cane abbaiava, lo immaginai randagio nella notte e attanagliato di fame. Dalla porta non entrava tanta luce da veder la campagna. In quel buio la voce del cane era la voce di tutta la terra. Nel dormiveglia sussultavo.

Per non essere visto uscir fuori, me ne andai prima dell'alba. Si levava la luna. M'accorsi volgendomi indietro che il casotto era una semplice cappella abbandonata; restava ancora un vetro rosa screpolato. « Nemmeno a cercarla », pensavo. Dissi in silenzio una vecchia parola.

Dietro alla luna venne l'alba, e avevo freddo, avevo fame e paura. Stetti accucciato in un campo di grano, maledicendo la rugiada, pensando a quei morti e a quel sangue. « Pensarci è pregare per loro », dicevo.

A luce chiara ritrovai le case basse, diedi alle donne la notizia. Otino era andato in campagna. Chiesi il permesso di aspettarlo in un fienile. Mi diedero pane e minestra, e mangiando tranquillavo le donne sulla portata della strage. – Rastrelleranno solamente oltre Tinella, – dicevo, – tant'è vero che ho potuto passare.

Seguirono giornate di vento che spazzavano i versanti, e di lassú si vedevano le creste successive, gli alberelli minuti, le case, i filari, fino ai boschi lontani. Otino m'indicò il campanile del santuario, e un gomito della strada dov'era avvenuto l'eccidio. Lui girava i pianori di cresta, vedeva gente, parlava e faceva parlare. Un mattino vedemmo tra i boschi una colonna di fumo; la sera stessa si sentí in paese che c'era stato un altro scontro verso il Tanaro, che una colonna di tedeschi e fascisti s'era buttata sul versante e bruciava, sparava, rubava.

La notte dormivo in fienile; m'avevano prestato una coperta. Verso sera quel ventaccio cadeva, e si tendeva l'orecchio se venissero spari, clamori. Con Otino restavamo sul campo, sotto le stelle mai vedute cosí vive; e nell'urlio dei grilli scrutavamo nel buio, cercavamo gli incendi, i falò. Accadeva di scorgere accenni di fuoco, sul gran nero dei colli. – Fate attenzione, – mi diceva Otino, – passerete di là. Dove han bruciato, non c'è piú sorveglianza.

Volevo pagargli qualcosa di ciò che mangiavo. Sua madre non disse di no; soltanto si chiedeva sospirando perché la guerra non finiva. – Durasse anche un secolo, – dicevo, – chi sta meglio di voi? – C'era ancora sotto il portico la chiazza di sangue di un coniglio sgozzato. – Vedete com'è, – disse Otino, – questa fine la dobbiamo fare tutti.

Me lo condussi nella vigna dov'ero entrato quella notte, e gli dissi che mi pareva un bel rifugio. Bastasse dormire in chiesa per stare sicuri, disse Otino, le chiese sarebbero piene. – Qui non è piú una chiesa, – risposi, – ci han pestato le noci e acceso il fuoco per terra.

– Ci venivamo da ragazzi a giocare.

C'entrammo discorrendo di com'era in paese, e che tutti vivevano nella paura che anche lungo la ferrovia toccasse una fucilata a un tedesco o fermassero un camion. – Ne hanno incendiato delle chiese? – feci a un tratto. – Bruciassero queste soltanto, – disse lui, – sarebbe niente.

Una sera raccogliemmo tutti i rami che si trovarono, e con vecchi cartocci di meliga buttati accendemmo un fuoco, nel cantuccio sotto la finestra. Poi seduti davanti alla fiamma, fumammo una sigaretta, come fanno i ragazzi. Dicevamo scherzando: – Per dar fuoco, sappiamo anche noi –. In principio non ero tranquillo, e uscii fuori a studiare la finestra, ma il riflesso era poco e, di piú, parato da un rialto. – Non si vede, no no, – disse Otino. Allora parlammo un'altra volta delle facce del paese e di quelli che avevano paura peggio di noi. – Anche loro non vivono piú. Non è vivere. Lo sanno che verrà il momento.

– Siamo tutti in trincea.

Otino rideva. Lontano scoppiò una fucilata.

– Incominciano, – dissi.

Tendemmo l'orecchio. Ora il vento taceva e i cani abbaiavano. – Andiamo a casa, – dissi. Quella notte la passai rivoltolandomi, tremando ai pensieri. Lo scroscio del fieno mi pareva che riempisse la notte.

Di nuovo l'indomani studiai la barriera di colline che mi attendeva. Erano bianche e disseccate dal vento e dalla stagione, nitide sotto il cielo. Di nuovo mi chiesi se il terrore era giunto fino ai boschi, fin lassù. Salii la stradicciola, a comprare del pane in paese. La gente mi guardava dagli usci, sospettosa e curiosa. A qualcuno facevo un cenno di saluto. Dalla piazza in alto si vedevano altre colline, come banchi di nuvole rosa. Mi fermai contro la chiesa, sotto il sole. Nella luce e nel silenzio ebbi un'idea di speranza. Mi parve impossibile tutto ciò che accadeva. La vita sarebbe un giorno ripresa, sicura e ferma com'era in quest'attimo. Da troppo tempo l'avevo dimenticato. Sangue e saccheggio non potevano durare in eterno. Stetti un pezzo con le spalle alla chiesa.

Ne uscí una ragazza. Si guardò intorno e discese la strada. Per un istante entrò anche lei nella speranza. Scendeva guardinga nel vento sui ciottoli scabri. Dalla mia parte non si volse.

Sulla piazzetta non vedevo anima viva, e i tetti bruni ammonticchiati, che fino a ieri m'eran parsi un nascondiglio sicuro, adesso mi parvero tane da cui si fa uscire la preda col fuoco. Il problema era soltanto di resistere alla fiamma finché un giorno fosse spenta. Bisognava resistere, per ritrovare la pace.

La sera vennero voci di un'azione nella vallata accanto, contro un paese di donne e di vecchi. Cosí giuravano. Difatti non s'era sentita nemmeno una fucilata: le stalle erano state saccheggiate, e i fienili incendiati. La gente, fuggita nei burroni, sentiva i suoi vitelli muggire e non poteva accorrere. Era stato sul tardo mattino, proprio nell'ora ch'io guardavo dalla chiesa.

Otino mieteva nei campi e sentí la notizia e continuò la mietitura.

– Tanto vale, – esclamai, – che mi riprovi a passare.

Si raddrizzò e passò la mano sopra gli occhi. – Vacci di notte che fa meno caldo.

Ne riparlammo quella notte e conclusi ch'era meglio seguire il Tinella che non buttarmi sulle colline. Partii l'indomani, e la sera ero a casa coi miei, di là dai boschi e dal Belbo.

XXIII.

Niente è accaduto. Sono a casa da sei mesi, e la guerra continua. Anzi, adesso che il tempo si guasta, sui grossi fronti gli eserciti sono tornati a trincerarsi, e passerà un altro inverno, rivedremo la neve, faremo cerchio intorno al fuoco ascoltando la radio. Qui sulle strade e nelle vigne la fanghiglia di novembre comincia a bloccare le bande; quest'inverno, lo dicono tutti, nessuno avrà voglia di combattere, sarà già duro essere al mondo e aspettarsi di morire in primavera. Se poi, come dicono, verrà molta neve, verrà anche quella dell'anno passato e tapperà porte e finestre, ci sarà da sperare che non disgeli mai piú.

Abbiamo avuto dei morti anche qui. Tolto questo e gli allarmi e le scomode fughe nelle forre dietro i beni (mia sorella o mia madre che piomba a svegliarmi, calzoni e scarpe afferrati a casaccio, corsa aggobbita attraverso la vigna, e l'attesa, l'attesa avvilente), tolto il fastidio e la vergogna, niente accade. Sui colli, sul ponte di ferro, durante settembre non è passato giorno senza spari – spari isolati, come un tempo in stagione di caccia, oppure rosari di raffiche. Ora si vanno diradando. Quest'è davvero la vita dei boschi come si sogna da ragazzi. E a volte penso che soltanto l'incoscienza dei ragazzi, un'autentica, non mentita incoscienza, può consentire di vedere quel che succede e non picchiarsi il petto. Del resto gli eroi di queste valli sono tutti ragazzi, hanno lo sguardo diritto e cocciuto dei ragazzi. E se non fosse che la guerra ce la siamo covata nel cuore noialtri – noi non piú giovani, noi che abbiamo detto « Venga dunque se deve venire » – anche la guerra, questa guerra, sembrerebbe una cosa pulita. Del resto, chi sa. Questa guerra ci brucia le case. Ci semina di morti fucilati piazze e strade. Ci caccia come lepri di rifugio in rifugio. Finirà per costringerci a combattere anche noi, per strapparci un consenso attivo. E verrà il giorno che nessuno sarà fuori della guerra – né i vi-

gliacchi, né i tristi, né i soli. Da quando vivo qui coi miei, ci
penso spesso. Tutti avremo accettato di far la guerra. E allora forse avremo pace.

Malgrado i tempi, qui nelle cascine si è spannocchiato e
vendemmiato. Non c'è stata – si capisce – l'allegria di tanti anni fa: troppa gente manca, qualcuno per sempre. Dei
compaesani soltanto i vecchi e i maturi mi conoscono, ma
per me la collina resta tuttora un paese d'infanzia, di falò e
di scappate, di giochi. Se avessi Dino qui con me potrei passargli le consegne; ma lui se n'è andato, e per fare sul serio.
Alla sua età non è difficile. Piú difficile è stato per gli altri,
che pure l'han fatto e ancora lo fanno.

Adesso che la campagna è brulla, torno a girarla; salgo e
scendo la collina e ripenso alla lunga illusione da cui ha preso le mosse questo racconto della mia vita. Dove questa illusione mi porti, ci penso sovente in questi giorni: a che altro
pensare? Qui ogni passo, quasi ogn'ora del giorno, e certa-
mente ogni ricordo piú inatteso, mi mette innanzi ciò che
fui – ciò che sono e avevo scordato. Se gli incontri e i casi di
quest'anno mi ossessionano, mi avviene a volte di chiedermi: « Che c'è di comune tra me e quest'uomo che è sfuggito
alle bombe, sfuggito ai tedeschi, sfuggito ai rimorsi e al
dolore? » Non è che non provi una stretta se penso a chi è
scomparso, se penso agli incubi che corrono le strade come
cagne – mi dico perfino che non basta ancora, che per farla
finita l'orrore dovrebbe addentarci, addentare noi soprav-
vissuti, anche piú a sangue – ma accade che l'io, quell'io che
mi vede rovistare con cautela i visi e le smanie di questi ultimi tempi, si sente un altro, si sente staccato, come se tutto
ciò che ha fatto, detto e subíto, gli fosse soltanto accaduto
davanti – faccenda altrui, storia trascorsa. Questo insomma
m'illude: ritrovo qui in casa una vecchia realtà, una vita di
là dai miei anni, dall'Elvira, da Cate, di là da Dino e dalla
scuola, da ciò che ho voluto e sperato come uomo, e mi
chiedo se sarò mai capace di uscirne. M'accorgo adesso che
in tutto quest'anno, e anche prima, anche ai tempi delle ma-
gre follie, dell'Anna Maria, di Gallo, di Cate, quand'eravamo ancora giovani e la guerra una nube lontana, mi accorgo
che ho vissuto un solo lungo isolamento, una futile vacanza,
come un ragazzo che giocando a nascondersi entra dentro
un cespuglio e ci sta bene, guarda il cielo da sotto le foglie,
e si dimentica di uscire mai piú.

È qui che la guerra mi ha preso, e mi prende ogni giorno.

Se passeggio nei boschi, se a ogni sospetto di rastrellatori
mi rifugio nelle forre, se a volte discuto coi partigiani di
passaggio (anche Giorgi c'è stato, coi suoi: drizzava il capo
e mi diceva: « Avremo tempo le sere di neve a riparlarne »),
non è che non veda come la guerra non è un gioco, questa
guerra che è giunta fin qui, che prende alla gola anche il nostro passato. Non so se Cate, Fonso, Dino, e tutti gli altri,
torneranno. Certe volte lo spero, e mi fa paura. Ma ho visto
i morti sconosciuti, i morti repubblichini. Sono questi che
mi hanno svegliato. Se un ignoto, un nemico, diventa mo-
rendo una cosa simile, se ci si arresta e si ha paura a scaval-
carlo, vuol dire che anche vinto il nemico è qualcuno, che
dopo averne sparso il sangue bisogna placarlo, dare una
voce a questo sangue, giustificare chi l'ha sparso. Guardare
certi morti è umiliante. Non sono piú faccenda altrui; non
ci si sente capitati sul posto per caso. Si ha l'impressione che
lo stesso destino che ha messo a terra quei corpi, tenga
noialtri inchiodati a vederli, a riempircene gli occhi. Non è
paura, non è la solita viltà. Ci si sente umiliati perché si capisce – si tocca con gli occhi – che al posto del morto potremmo essere noi: non ci sarebbe differenza, e se viviamo
lo dobbiamo al cadavere imbrattato. Per questo ogni guerra
è una guerra civile: ogni caduto somiglia a chi resta, e gliene
chiede ragione.

Ci sono giorni in questa nuda campagna che camminando
ho un soprassalto: un tronco secco, un nodo d'erba, una
schiena di roccia, mi paiono corpi distesi. Può sempre succedere. Rimpiango che Belbo sia rimasto a Torino. Parte
del giorno la passo in cucina, nell'enorme cucina dal battuto
di terra, dove mia madre, mia sorella, le donne di casa, pre-
parano conserve. Mio padre va e viene in cantina, col passo
del vecchio Gregorio. A volte penso se una rappresaglia, un
capriccio, un destino folgorasse la casa e ne facesse quattro
muri diroccati e anneriti. A molta gente è già toccato. Che
farebbe mio padre, che cosa direbbero le donne? Il loro
tono è « La smettessero un po' », e per loro la guerriglia,
tutta quanta questa guerra, sono risse di ragazzi, di quelle
che seguivano un tempo alle feste del santo patrono. Se i
partigiani requisiscono farina o bestiame, mio padre dice:
– Non è giusto. Non hanno il diritto. La chiedano piuttosto
in regalo. – Chi ha il diritto? – gli faccio. – Lascia che tutto
sia finito e si vedrà, – dice lui.

Io non credo che possa finire. Ora che ho visto cos'è guer-

ra, cos'è guerra civile, so che tutti, se un giorno finisse, dovrebbero chiedersi: — E dei caduti che facciamo? perché
sono morti? — Io non saprei cosa rispondere. Non adesso,
almeno. Né mi pare che gli altri lo sappiano. Forse lo sanno
unicamente i morti, e soltanto per loro la guerra è finita
davvero.

*Assonanze*

*La famiglia* (1941-42) di Cesare Pavese, in *Racconti*, Einaudi 1953.

Una volta, quando veniva l'estate, andavamo in barca. La si prendeva al ponte, ci si metteva in mutandine, e si arrivava fino ai boschi. Ci stavamo tutto il pomeriggio. Allora che eravamo giovani ci portammo sovente compagnia, ma – come succede – ci stavamo male, e ci volle qualche anno perché capissimo che all'aria aperta queste cose non si fanno. Adesso, ripensandoci, Corradino se ne vergognava.

Quando fummo sui trent'anni, Corradino aveva messo da parte una certa esperienza e credeva di essere lo stesso di allora, ma il giorno che ritornò sul fiume, l'idea di mettersi a remare lo disgustò e, contemplate le barche dall'alto del ponte, risalì sulla bicicletta e tornò a casa. Andò invece il giorno dopo negli stessi boschi, per una lunga strada polverosa e, raggiunto il Sangone per dei sentieri molto piú a monte che non fosse mai risalito con la barca trovò un ristagno chiaro e tranquillo, chiuso fra sterpi e cespugli. Il luogo gli piacque, e si spogliò in mutandine, si bagnò, si stese al sole, fumò guardando il cielo tra i salici – trascorse un'ora indimenticabile. Ci tornò con la bicicletta ben presto, e se ne fece – era il mese di luglio – un'abitudine. Il pericolo era di fermarcisi troppo e annoiarsi, ma Corradino che da un pezzo aveva cominciato a conoscersi, prese precauzioni e non ci venne mai che sul finire del mattino o un'ora prima del tramonto. Cosí gli toccava tornarsene con sveltezza.

Tuttavia, una volta giunto su quel greto, faceva sempre le stesse cose. Prendeva un po' di sole, traversava a nuoto l'acqua sassosa, ne usciva gocciolante e, appendendosi al ramo orizzontale di un albero, si scaldava e irrobustiva con flessioni. Tutto ciò era per godere, con corpo e respiro piú freschi, la sigaretta che poi fumava.

Nella vita ordinaria – tutti lo sapevamo – Corradino aveva orrore della solitudine. Viveva in una camera ammobiliata ma frequentava abitualmente le nostre case, e nulla gli faceva piú spavento che una serata da trascorrere coi suoi soli mezzi. Fino all'ultimo sperava sempre di ricevere una telefonata o una visita imprevista, ma, per quanto queste cose accadano talvolta proprio nel cuore dell'estate quando la città è semivuota, in quel luglio nessuno si fece vivo e Corradino era abbandonato a se stesso. Perché non affrettasse le sue vacanze e raggiungesse subito al mare certe persone che gli stavano a cuore, non me lo disse. Viveva con un'ansia annoiata, nel lavoro e nelle occupazioni abituali, e rimandava di giorno in giorno le decisioni avendo come unico punto fisso quotidiano la scappata tra i salici. Ben presto il suo corpo cominciò ad abbronzare, e ciò gli pareva desse un senso a quelle giornate, come la muda di certe bestie dà un senso alle loro stagioni. Corradino in gioventú era stato malaticcio e si era guarito con le sudate e il gran sole delle gite in barca. Era convinto che il corpo che giunge all'inverno senza essersi abbronzato, è inerme di fronte ai malanni. Ma la muda di quell'anno – mi disse sovente – gli pareva qualcosa di piú che un'igiene: era un ritorno, un ripiegamento su se stesso, condizione attiva di qualche avvenimento che lui sentiva imminente. Aveva di queste manie.

In quell'anno Corradino telefonava ancora di tanto in tanto a una ragazza – Ernesta – e se la portava in stanza la sera. La ragazza accorreva – era sempre libera – e lo lasciava stanco e mortificato. Era una conoscenza dei vent'anni; s'erano riveduti a lunghi intervalli e sempre l'incontro era finito in nottate senza seguito. Ma da quando Corradino s'era adattato a vivere solo, aveva piú spesso cercato Ernesta che, sempre compiacente, era ormai diventata una amica fissa. I primi tempi Corradino la portava anche a passeggio, al caffè, a teatro: adesso, quando le telefonava, era inteso che venisse direttamente da lui. Naturalmente Ernesta, figlia di una merciaia, l'avrebbe volentieri sposato. Era una donna semplice, incapace di darsi bel tempo e cercarsi un marito, come lui la consigliava: preferiva fidarsi del ricorrente bisogno che Corradino aveva di lei, e lo guardava docile, con gli occhi spalancati, molli. Corradino s'irritava e viveva di malumore l'indomani di quegli incontri.

Dal principio di luglio s'era proposto di non piú vederla.

La solitudine dei salici gli dava una specie d'orgoglio, un bisogno di fare il vuoto intorno a sé, che non aveva piú provato dagli anni dell'adolescenza. – Invece d'invecchiare, ridivento ragazzo, – mi disse. Ma la lunghezza delle ore adesso che quasi tutti ce ne andavamo, il rallentamento del lavoro, la scioperataggine e l'afa della stagione, lo indussero a ricercare quel piacere, per quanto monotono, ancora una volta.

Ernesta venne, come sempre, mostrandosi riconoscente che si fosse ricordato di lei. Fu inevitabile che gli vedesse la pelle fosca, e Corradino gliene diede una spiegazione evasiva. Ma quando uscirono insieme e presero il gelato – Ernesta ne era ghiotta come una bambina, e anche questo irritava Corradino, – il discorso ritornò sull'abbronzatura, e con la solita invadenza che metteva in queste cose, Ernesta disse: – Nessuno mi porta mai a prendere il sole in piscina.

– Perché non ci vai da te?

Ernesta sorrise. – Non sarebbe serio.

Corradino la guardò di traverso, fingendo di sorridere. – Non c'è niente di serio, – disse, – divertiti fin che sei giovane.

– Non sono piú giovane, – rispose Ernesta.

Dentro di sé Corradino gridava: «Quest'è l'ultima volta», e con la punta delle dita le sfiorò i capelli. Sorrise senza guardarla. Come un cane accarezzato Ernesta gli strofinò la guancia contro la mano. Quella sera Corradino non disse altro, nemmeno mentre aspettavano il tram. Tacque ostentatamente, perché Ernesta capisse. – Sei stanco, – disse lei quando fu per lasciarlo. – Ciao, – disse Corradino andandosene.

Tutti i giorni hanno un domani, e Corradino ritornò tra i suoi salici. Nudo al sole, fumò di malumore la sigaretta e si guardava intorno – gli stessi sassi infangati sulla riva, lo stesso silenzio, le stesse foglie immobili. Cominciò a pensare che di giorno in giorno nulla mutava in quella radura, che allo stesso frastaglio d'alberi sul cielo corrispondevano sempre uguali sensazioni e pensieri. Probabilmente le stesse cose aveva veduto e fantasticato molti anni prima, quando saliva remando fino ai boschi. Le stille d'acque, i salici, il passaggio di un uccello, il sole immobile sulla pelle. «C'è di nuovo, – pensò, – che non ho bisogno di compagnia e mi abbronzo da solo». D'estate all'aria aperta il malumore è solamente languidezza, e la gran luce lo smentisce. Tuttavia

Corradino ebbe il tempo di accorgersi – cosí ci disse quella sera – che anche il suo congedo da Ernesta somigliava a tanti altri rancori del passato, a un desiderio di solitudine antico. Lo irritava quest'insistenza delle cose a presentarglisi sempre per lo stesso verso. Tornando in bicicletta per le strade deserte del mezzodí, gli parve che davvero la città fosse disabitata.

Quell'anno facevo delle escursioni e Corradino, uomo sedentario, non volle saperne di accompagnarmi. – Ti abbronzerai lo stesso in montagna, – gli dissi la sera che ne parlammo, – e se, come credo, questa mania è solamente scapolaggine, ti troveremo una distrazione –. Ma Corradino mi ripeté la sua massima, ch'era di lasciare che le cose succedano e guardò la tappezzeria tra me e mia moglie con un'aria desolata che ci fece sorridere. Il suo cipiglio estivo con denti e occhi bianchi, prometteva ben altro e, al dire di mia moglie, era quello di un uomo che ne prepara qualcuna, per esempio che rimugina di sposarsi. Ma Corradino che ci parlava sovente e con disgusto del suo contegno con Ernesta, quella sera non c'insistette. Disse invece un'altra cosa – piú strana –: che se avesse dovuto sposarsi, l'avrebbe fatto soltanto dopo essersi ben abbronzato al sole. Mia moglie gli chiese perché. – Per diventare un altro, – brontolò Corradino. – Civettone, – disse mia moglie.

Quando noi partimmo, non aveva ancora incontrato Cate. Comunque, non me lo disse. Mi parlò a lungo, con una curiosa esaltazione, delle smanie diverse che si sentiva addosso, «smanie di tranquillità» come le chiamava, desiderio che gli accadesse qualcosa, che la sua vita cambiasse ma senza spostargli una sola abitudine. – Vorrei, senza accorgermene, diventare un altro, – mi spiegava. La cosa mi parve naturale, e glielo dissi. – Sei un uomo sulla trentina. Gli anni passano per tutti –. Corradino rimase interdetto. E subito rincarò la dose e si mise a spiegarmi che il suo non era desiderio di sistemarsi, di salire di grado, di cambiare di tavolo al giornale dove lavorava. – Queste cose le penserei se fossi innamorato. Invece no, me ne infischio. Penso al passato piú che all'avvenire. Vorrei essere un altro.

Non seppe spiegarsi di piú, e nemmeno con Giusti, nostro amico, che rimase unico a Torino in grado di tenergli compagnia, disse gran che. È vero che Giusti, uomo causti-

co, non era il tipo piú adatto per fargli da confessore, ma
quei due se l'intendevano e probabilmente Corradino a-
vrebbe finito per servirsene se l'altro non fosse venuto a rag-
giungerci. Tuttavia Giusti, nelle poche sere che ancora si
videro prima dell'agosto, si accorse che qualcosa preoccu-
pava Corradino. Non tanto dai discorsi quanto dalle occhiate febbrili che, stando seduti al caffè, gli vedeva lanciare sotto i portici, se portici c'erano, o nel buio tra le piante se
sedevano all'aperto. – Tu non mi sembri estivo, – gli disse
una sera, – la cura del caldo non ti giova. Se non fosse evidente che hai una donna per le mani, ti direi di cambiar
aria, – continuava, davanti al silenzio dell'altro. – Non può
farti che bene.

Ma già Corradino aveva trovato una risposta e scherzava
sulla penetrazione dell'amico, non tanto spensieratamente
però che non si sentisse la voce rauca.

– Bene, – diceva Giusti, – non voglio insistere, – e notava
sulla bocca di Corradino una piega di dispetto per l'occasione sfumata. Perché naturalmente Corradino era quel tipo d'uomo che anche dagli amici, come dalle donne, andava pregato e cercato con insistenza.

– Secondo me è timidezza, – aveva detto Giusti una volta che discussero anche di questo. – Sarà bello lasciarsi a-
mare. Lo dicono tutti. Ma senza santa sfacciataggine non
può durare. Non è naturale. È dare alla donna il coltello dal
manico.

– Che non sia bello è vero, – disse Corradino. – Si fanno
delle disgraziate, questo sí.

– Fammi ridere, – disse Giusti, – quando una donna ti
salta addosso, ha già fatto i suoi conti. È timidezza, ti dico.

Qui Corradino tacque un momento, poi disse ch'era questione d'abitudine e che c'era il vantaggio che, con una donna che fa resistenza, è tanto di guadagnato per il timido,
perché cosí nulla succede.

– Dunque è una donna che fa resistenza? – disse Giusti
ridendo.

– E nulla succede, – rispose Corradino.

– Ti piacerà la situazione...

– Infatti.

In agosto anche Giusti venne in montagna con noi e lasciò Corradino, come ci disse quando gliene chiedemmo notizie, solo e malissimo accompagnato.

– Quell'uomo è matto, – diceva. – Vedrai che quest'anno

passa l'estate a Torino. Fosse almeno capace di portarsela al mare... – Ma Corradino aveva detto che forse al mare non ci andava, e ciò intrigò molto mia moglie che conosceva la \*\*\* con cui Corradino aveva fatto conoscenza in Riviera l'anno prima. – Che stupidi siete voi uomini, – disse. – Con una ragazza bella, ricca e distinta come Marina, che non chiede che di farsi conquistare, vi perdete dietro a chi sa che donnaccia.

– Che magari non esiste, – obbiettai. In quei giorni non sapevo di Cate e tutt'al piú pensavo a Ernesta che, per quanto conoscessi bene Corradino, non stimavo capace di guastargli i sonni. – Si vedrà, – concludemmo. – Purché non sacrifichi le ferie com'è tipo.

Imbucammo per lui una cartolina firmata da tutti, e pensavamo a tutt'altro, alle nostre escursioni, quando mi giunse in risposta una lettera. In essa Corradino premetteva che non era una risposta alla cartolina comune – anzi mi pregava di considerarmi suo unico confidente e di non tradirlo – ma che la cartolina gli aveva fatto ricordare che aveva un amico e tanto valeva che si sfogasse. «Del resto, – diceva, – vado sempre al Sangone e sono solo come un cane. Ma quello per cui mi preparavo, tu capisci, è avvenuto. Comincio a credere che ci sia una Provvidenza. Qualcuno direbbe che basta volere intensamente qualcosa, perché qualcosa succeda, ma non è festa tutti i giorni e se l'ho indovinata a restare a Torino aspettando l'imprevisto – imponendogli di manifestarsi – c'è adesso uno scoglio, molti scogli, che mi tagliano la strada e mi romperanno la testa. Di piú non posso dire. Mi succede un pasticcio inverosimile. Mi sembra però che la vita mi stia fornendo un'occasione unica per diventare un altro – sai come. Ho in mente al proposito idee chiarissime. Fino a ieri la mia disgrazia era che non sapevo uscire da me stesso, dal mio cerchio naturale. Se tutti capissero come ho capito io – stamattina piangevo dalla rabbia – che cos'è questa condanna all'identico, al predestinato, per cui nel bambino di sei anni sono già scolpiti tutti gli impulsi e le capacità e il valore che avrà l'uomo di trenta, piú nessuno oserebbe pensare al passato e inventerebbero un detersivo per lavare la memoria. Nella vita giornaliera uno crede di essere diverso, crede che l'esperienza lo cambi, si sente giulivo e padrone di sé, ma pensati che venga una crisi, pensati che gli diano uno scossone e un calcio in faccia e la vita gli imponga "Su, deciditi", e lui farà infallibilmente come ha sempre fatto in passato, scapperà se vigliacco, resisterà se coraggioso. Sembra una stupidaggine, ma non è. Anche perché non si tratta soltanto di scappare o di resistere; le cose sono piú complicate. Si tratta di capire, di pesare, di valutare: è questione di gusti, e i gusti com'è noto non cambiano. Chi ha paura del buio, avrà paura del buio.

« Ora io sono sul punto di poter fare cose che non avrei mai fatto. La vita in questo mi ha aiutato – non dico altro. Potrei anche fare una cosa che non ha nessun vero rapporto con quanto mi succede; ricominciare da capo. Vedi che valeva la pena di restare a Torino.

« *PS.* Se sono cosí giulivo, non credere che non abbia passato e non passi dei momenti neri. Ma se ti dicessi quali, non capiresti. Mi convinco una volta di piú che tutto succede come alla guerra: è indescrivibile ».

La giudicai una lettera innocua e naturalmente la vide anche mia moglie. Disse che non ci capiva niente. Io esitavo, ma finimmo per mostrarla anche a Giusti che promise di non parlargliene. Giusti sorrise leggendola e commentò che qualcosa di simile gliel'aveva sentito dire. – Non mi stupirei se fosse già padre, – concluse.

Allora telegrafammo a Corradino: « Attendiamo schiarimenti. Noi bene ». Mi dispiaceva canzonarlo, ma Giusti ne disse tante che scrissi io stesso il telegramma.

Cate non era per Corradino piú di un vago ricordo. S'erano conosciuti quando lui era studente, perché un'amica di Cate andava in barca con quel collega anziano di Corradino, e un giorno avevano fatto insieme la scampagnata con vino e fonografo e si erano molto divertiti. Per qualche mese, quell'anno, Corradino e l'impiegatuccia ch'era Cate avevano continuato ostinatamente a vedersi, a tentare la barca – Corradino s'imbestialiva perché voleva averci l'amica come l'altro – Cate l'aveva accontentato, una volta, due, tre volte, ma Corradino fu lui il primo ad averne abbastanza, né l'aveva cercata mai piú. Me ne parlò qualche anno dopo con un curioso rimorso, dicendo ch'era stata una sciocchezza, un misto di smania e di bestialità, cose che si fanno, ma non si dovrebbe.

E adesso s'erano incontrati. Dice Corradino che tutto succede perché lo vogliamo, ma come potesse aver voluto quell'incontro lui che quella sera si abbandonò come un morto nelle mani di Giusti e gli andò insieme dove non andava mai, non capisco.

Camminavano e la conversazione languiva. Fu allora che Giusti propose una sala da ballo per finire la serata.

– Ma non sei stanco? – disse Corradino ridendo. L'idea di andare a ballare non gli era piú venuta da anni.

– Perché non fai una crociera? – diceva Giusti. – I trent'anni sono l'età buona –. Camminavano nella penombra di un viale e a Corradino riuscí facile brontolare, con piú serietà che non ne mettesse nella voce, che un viaggio è piú divertente sentirlo raccontare che farlo. – Tu sei sempre lo stesso, – disse Giusti. – Dove vai quest'anno? a Camogli?

Entrarono nel Varietà del Parco. Qui c'era da ballare per Giusti e della birra e un varietà per Corradino. I tavolini erano disposti intorno a una gran pista di cemento vuota, e in fondo, sopra l'orchestrina, era aperto il palcoscenico dorato dove usciva in quel momento una cantante. Nel tempo che si cercarono un posto e sedettero, costei aveva lanciato l'ultimo grido e s'inchinava tra i battimani. Corradino sorrise imbarazzato. – Sapevi ch'era cosí elegante? – disse Giusti.

– Non ci vengo mai.

La serata passava monotona. Tra un numero e l'altro si chiudeva il sipario rosso-sangue e l'orchestra chiamava le coppie sul cemento. Giusti si mise presto in giro, alla ricerca di una ballerina, e Corradino gli gridò dietro che non l'avrebbe trovata. Ma dopo un poco dovette trovarla perché non tornò, e nell'intrico di gambe danzanti Corradino intravide un paio di pantaloni bianchi che gli parvero i suoi. Qualche numero passò senza che l'altro si facesse rivedere, e Corradino se ne stette soprapensiero guardando distratto le cantanti, cercando di abbandonarsi a quel po' di musica e di eccitazione che riempiva la notte del parco. Finalmente, durante il ballo, vide lampeggiare sopra una spalla nuda gli occhi e il cenno di Giusti.

Vennero, lui e la donna, al tavolino. Corradino si era messo in testa di essere di troppo e guardò appena la dama dell'amico – aveva le spalle semicoperte: nella foga del ballo le doveva esser scivolata la bretella. Giusti li presentò e chiamò il cameriere. La donna tese la mano, una mano umida di sudaticcio; Corradino sorrise.

– Senza complimento, non ballo, – disse subito. La ragazza lo guardò sorpresa. Giusti li fece sedere.

Si aprí il sipario e ciò salvò la conversazione. Venne fuori una spagnola, e Giusti trovò modo di dire impertinenze. La ragazza ascoltava con un'aria attenta, poi d'improvviso batteva le mani infantilmente e dava ragione a Giusti, gli afferrava il polso, gli rideva in faccia. Poteva avere vent'anni.

Il ballo seguente fu loro. La ragazza si volse a Corradino e gli fece un sorriso di compiacenza. Rimasto solo Corradino girò gli occhi per la pista, sui tanti gruppetti dove un uomo, un giovanotto, s'inchinava davanti a un tavolo. Qualche volta la donna era già in piedi a braccia tese, e ancora l'uomo fendeva la calca.

D'un tratto ebbe l'impressione che qualcuno l'avesse fissato da qualche parte. Si voltò e vide una fuga di teste – un vecchiotto, spalle femminili, la faccia arrovesciata e ridente di un tale – nessuno di sua conoscenza. Provò un certo disagio e cercò una sigaretta ricomponendosi sulla seggiola, perché era certo che, se qualcuno l'aveva guardato, questo qualcuno era una donna. Frugò con gli occhi tra le coppie e non vide piú i suoi due. «Meno male, – pensava, – che quella stupida è con Giusti». Immaginò la scena che quella donna dell'occhiata si presentasse al tavolino per invitarlo a ballare. Da una donna si aspettava di tutto. Guardando di nuovo i tavolini al suo fianco, s'accorse che la parete nella penombra era tenuta da una lunga specchiera e che forse il lampo dell'occhiata gli era stato rimandato dal centro della pista. Ci si perdette. Ma pensò intanto ch'era stata la musica a suggerirgli l'idea di una donna.

Ascoltò quella musica, chiudendo gli occhi per cogliere in se stesso la sensazione fuggita. Non vide nulla. Il ritmo rendeva con banale clamore il pulsare del sangue. Seguí uno sparso battimano.

Quando i due tornarono, Corradino propose un liquore e, sotto gli occhi divertiti di Giusti, attaccò un vivace discorso con la ragazza. Costei non chiedeva di meglio che scherzare e gli tenne testa baldanzosa. Dissero molte stupidaggini. L'orchestra suonava. – Ci permetti di ballare? – Corradino si era alzato e guardava Giusti. – Figurati –. Si alzò anche la ragazza.

Si abbracciarono e se ne andarono. Quando furono in mezzo alla pista Corradino le disse: – Andiamo a prendere qualcosa? – Ci andarono, ridendo come di una scappata. La ragazza succhiò una menta. Corradino prese un liquore. In piedi, davanti al banco, la ragazza giurò che non l'aveva guardato nello specchio. Corradino l'abbracciò di nuovo e la trascinò sulla pista negli ultimi giri, stringendosela al corpo, voltandosi bravamente a destra e a sinistra. Quando la musica tacque, la ragazza fece il gesto di riprendere fiato premendosi la mano sullo stomaco, rossa e ridente. – Torniamo, – disse Corradino.

Per il resto della serata, non la toccò piú. Lasciò che andassero e venissero, lasciò che si parlassero all'orecchio; un certo momento che la ragazza gli parlò provocante, finse di non capire. Quando Giusti gli disse: – Scusa, noi ce ne andiamo, – annuí senza una parola.

Di nuovo si aperse il sipario. Per un istante si fece silenzio, poi uscí un giocoliere giapponese. Corradino fissò i primi gesti, le grandi maniche fiorite svolazzanti. Di tanto in tanto si levava un applauso. Finí anche questo.

Sulla ghiaia scricchiolante Corradino camminò verso l'uscita. La musica attaccava allora, e si formavano delle coppie attraversandogli la strada. Andò piú svelto, rasentando la parete; giunto agli arbusti d'alloro che facevano sfondo, si volse. Ecco quegli occhi.

Per un istante Corradino, non la riconobbe, fu imbarazzato: si mise in mente che Cate si trovasse fra gli arbusti per caso, o non fosse la Cate di un tempo, non lo aspettasse. Ma prima che Cate dicesse: – Corrado, – le aveva già fatto un sorriso e tese le mani. Prese la sua con effusione, esagerando la meraviglia, ma soltanto quando lei si fu scostata per tirarlo da parte, fu certo ch'era Cate. Riconobbe il gesto.

Corradino ricorda che prima cosa le chiese se era stata proprio lei la donna dello specchio. E dovette chiederlo con una preoccupata insistenza perché – mi disse – Cate gli ribatté gaiamente se non aveva proprio altro da domandarle in quel momento. E cosí alla sua richiesta non rispose ma ormai Corradino aveva confuso il ricordo di quegli occhi col viso presente e sapeva benissimo ch'era stata lei.

Parlava con inflessioni cordiali di una voce sinuosa e sonora, tanto che Corradino non fece a tempo a vergognarsi di se stesso come doveva, che già un altro imbarazzo – piú urgente – s'era sovrapposto, quello di darsi del tu con una donna adulta e compiacente, che gli era quasi sconosciuta.

Cate si sedette con vivacità sulla panchina dell'ingresso, tenendo sempre la mano di Corradino, accavallando le gambe dalle calze sottili. Aveva unghie e labbra scarlatte e una

giacca quasi maschile sulla camicetta accollata: un abito da
viaggio, senza dubbio. Della Cate di un tempo non restava-
no che gli occhi e i capelli. Corradino le cercò in viso i segni degli anni, ma ci vide soltanto un rossore di gaiezza.


Che Giusti gli avesse telefonato l'indomani lo sapevo, e
sapevo pure che Corradino gli aveva risposto – Va' all'in-
ferno –, tagliando corto ai suoi complimenti.

«Scusa se ieri ti abbiamo piantato», voleva dir Giusti
che si piccava di delicatezza, ma disse invece: – Che ti
prende?

Corradino, che si aspettava tutt'altra chiamata, disse
semplicemente che non sapeva ancora che cosa avrebbe fatto la sera, e da quel giorno divenne evasivo, la sua faccia
assunse quell'aria di tensione, che poi Giusti ci descrisse.

Cate era veramente una sconosciuta. Corradino non aveva nemmeno avuto il tempo di sentirsi a disagio, che subito lei l'aveva sbalordito raccontandogli volubilmente ch'era
artista di varietà e che tornava da Napoli: era a Torino per
riposarsi e si trovava al Parco perché il suo mondo era questo, un mondo di delinquenti ma c'era il suo bello, e gli
chiese di punto in bianco se non fosse ammogliato. Disse
proprio così: ammogliato. Corradino le diede un'imbarazzata risposta, sorpreso di raccontare con la sua voce piú
semplice cose che non diceva sovente: che si sentiva invecchiare e a sposarsi non ci pensava, ma che non rimpiangeva
i vent'anni. Sogguardava la punta delle scarpette di Cate,
tendendo l'orecchio all'orchestra di là dalla siepe.

– Sei molto cambiata, – disse finalmente.

– Cos'è? un complimento? – ribatté Cate con un mezzo
sorriso.

Che fosse un'altra – una donna – si capiva da una risposta simile. Entrambi senza guardarsi sorridevano: Corradino non sa se sorrideva a se stesso, al suo imbarazzo o alla
sua ingenuità. Non era piú la Cate che gli aveva camminato
a braccetto umiliata e in silenzio, la Cate che nascondeva
nella borsetta un piumino di cipria consunto e il fazzoletti-
no sporco. Anche la voce era mutata: aveva scatti, aveva
nella franchezza un'energia, una prontezza aggressiva che
appunto sapeva di palcoscenico.

– Credevo proprio che ti fossi sposato, – mormorò Cate.

– Lo sai che non sono il tipo, – disse Corradino.

Nel tempo che stettero seduti – l'orchestra suonava sempre e le cantanti strillavano – passò qualche individuo davanti a loro, gente che andava e veniva, una donna ossigenata e vistosa, e salutavano Cate, chi gettando una voce, chi con un cenno. Cate rispondeva a tutti con vivacità.

– Senti, – gli disse alzandosi. – Togliamoci dalla corrente. Sei solo stasera?

Allora andarono a braccetto a fare un giro sull'argine, e dalla voce di Cate si capí ch'era un gesto spontaneo di cordialità non un diritto che lei credesse d'avere. A Corradino scottava le labbra una giustificazione, un accenno noncurante al passato: sentirla parlare d'allora senza rancore, magari scioccamente, e riderne insieme. Invece nel semibuio delle piante dove il muggito della diga copriva l'orchestra, Cate riprese a raccontare del suo mestiere, di piazze e di rivalità. Era stata perfino in colonia. Tripoli era una città magnifica! – Sono stata una stupida a non fermarmi laggiú, – diceva. – C'è una eleganza che voi non ve la sognate nemmeno. Spendono piú degli altri. La sera: caffè, teatri, è una festa. Qui il varietà è un funerale.

– Insomma, hai fatto carriera, – disse Corradino.

– Mi mantengo, – disse Cate, premendogli il braccio. – Caro te, che vitaccia. Sapessi quante ne ho passate. Se non era della mamma, non riuscivo –. E raccontò, abbassando la voce, che la mamma era morta, che l'aveva ammazzata il padre, tanto le maltrattava tutte e due. Quando lei cantava le prime volte, era venuto in teatro a gridarle di smettere; le aveva fatto perdere delle scritture.

– E sai davvero cantare? – scherzò Corradino.

Cate gli strattonò il braccio. – Tu sei sempre lo stesso, – esclamò imbronciata. – Non vuoi credermi...

– Ma come hai fatto?

– Ho studiato, ho trovato chi mi aiutava. Mi ha aiutata anche la mamma. Tu non mi avresti aiutata?

Cate s'era fermata, tendendo il braccio e trattenendo Corradino, e lo guardò con franchezza. Corradino sorrise.

– E tu, che fai? studi sempre? – disse Cate riprendendo a camminare.

Era già notte alta quando Corradino guardò l'orologio accendendo un fiammifero. Decisero di prendere un tassí. Fu durante il tragitto che, per rompere il silenzio, Corradino le chiese se l'avrebbe riveduta. Lo chiese senz'intenzione, quasi senza volerlo, per compiacere a Cate e riparare in

qualche modo la sua villania di tanti anni prima. – Telefo-
nami, – le disse, – io al Parco non ci vado mai –. Gli parve
che Cate attendesse il suo invito, ne fosse felice, perché gli
premette la mano e sussurrò «Caro» all'orecchio. Improvvisamente Corradino l'avrebbe abbracciata, ma il tassí ral-
lentò e Cate diceva: – Ci siamo.

Tornando a casa quella notte Corradino pensò all'ami-
chetta di Giusti e si disse che tutti hanno le avventure che
si meritano. Adesso era lieto di non aver cercato di abbrac-
ciare Cate, non perché temesse di venir respinto ma perché
tutto il caso di quella sera si era svolto sotto un segno di
franchezza e di fiducia ch'erano tanto piú straordinarie se si
pensava al passato.

E ancora al mattino svegliandosi, sorrideva. Ma poi la telefonata di Giusti – Giusti non telefonava mai, proprio quel
giorno doveva venirgli in mente –, e per compenso il silenzio di Cate, lo misero di malumore, tanto che non ebbe voglia di andare al Sangone. Un saluto di Cate, anche soltanto
per telefono, quel mattino gli avrebbe significato molto.
«Come non lo capisce, quella stupida?» pensò. Venne cosí
la sera e gli mancò Giusti, gli mancò Cate, gli mancarono
tutti. Poteva andare al Parco, ce l'avrebbe trovata, ma si
fece forza. – No, mi venga a cercare –, e si ficcò in un cine-
matografo.

Con Giusti si vide il giorno dopo, e fu quando parlarono
dell'iniziativa amorosa. Fu Giusti che coi suoi ragionamenti
mise in testa a Corradino la possibilità di ritentare Cate,
adesso che Cate era esperta del mondo. Corradino riconosce che l'idea di quella sera nacque un po' dal suo dispetto,
dal disgusto e dai motteggi di Giusti. Ma già la notte stessa, rientrando, pensò che non aver smesso d'amarlo toccava se mai a Cate, e si coricò soddisfatto. L'indomani, il silenzio del telefono gli gelò il contento in faccia, e la rosea
giornata che aveva sperato cominciò al solito angosciosa.
Ma Corradino andò al Sangone e qui, fresco e abbronzato,
contemplando i suoi salici ritrovò il suo piacere. Pensò a
Camogli e al suo destino, e si chiese che cosa facesse in quel
momento Marina. Qui davvero sorrise. Cominciava a capire
che qualcosa era avvenuto, che la sua attesa di quei giorni
era soddisfatta: con l'incontro di Cate era riemerso il passato e tutto si giustificava: la vita era piena di cose cordiali,
bastava lasciare che accadessero. Si sentí insomma libero,
libero e solitario – era ciò che aveva sempre voluto.

Ma Cate non telefonava. Una volta alla settimana Corradino prestava servizio notturno, e quella notte si attardò fino all'alba perché gli piaceva rientrare al mattino per le vie deserte. Gironzolò finché il caldo non si fece sentire e all'imbocco di un portico s'imbatté in Cate.

— Ciao, — si dissero ridendo.

Cate nella solita camicetta turchina accollata era davvero una bella donna. Dimostrava i ventott'anni e sembrava piú alta, piú grande. Soprattutto aveva un modo di sorridere inciso, che la truccatura accentuava. Era in cerca di calze e Corradino l'accompagnò.

Rideva volentieri e Corradino, spossato dalla veglia, non aveva la forza di resistere e a proposito e a sproposito le fece eco. Non si presero a braccetto.

Siccome non fecero un discorso filato, Corradino s'accorse che non sapeva cosa dire e ne fu lieto: confrontava mentalmente Cate con Marina e sorrideva. «Qualunque cosa succeda, è chiaro che siamo estranei», pensava. Davanti al banco delle calze, Cate fece aprire un pacco e gliene sciorinò una sulla mano. — Ti piace? — gli disse.

Uscendo, Corradino le prese il braccio d'istinto. Fecero insieme qualche passo, poi lui stesso si staccò. Cate lo guardò imbarazzata, poi gli chiese perché non era tornato al Parco. Da quel momento il loro discorso si fece impacciato, e Corradino disse molte cose guardandosi la punta delle scarpe. Disse in sostanza che l'aveva aspettata, ma che al Parco non voleva andare perché non gli piaceva quella gente, e si divertissero pure ma lui di divertirsi non aveva voglia.

Ma come passava le sere, gli chiese Cate.

— Questa sera per esempio ho lavorato tutta la notte.

Allora Cate sorrise — un sorriso incredulo, improvviso — e gli chiese se non aveva un'amica.

— No, — disse Corradino.

Cate non si stupí; continuò a sorridere e Corradino sostiene che in quel momento capí di venir giudicato. Non parlò, esitando tra la sicurezza di sé e la noncuranza. Ma — dice — in quell'attimo Cate decise — e forse fu un bene — il destino di entrambi.

Lei stessa gli chiese dove abitava, e accettò di accompagnarlo a casa. Durante il tragitto il discorso cadde sui loro lavori, e Corradino vantò assai le comodità e l'avvenire del suo. Disse persino ch'erano colleghi: tutti e due lavoravano per un pubblico. – Mantenersi è una bella cosa, – osservò Cate.

La padrona di casa chiudeva un occhio quando Corradino introduceva una donna. Si sentí traversare il corridoio e s'accontentò di far capolino dalla cucina, ma in compenso non aveva ancora rifatto il letto dal giorno prima. Corradino richiuse la porta, seccato, e disse a Cate di scusarlo. Distese la coperta sul groviglio di pigiama e lenzuolo, e tirò le tendine della finestra. La stanza prese una penombra rosata, tollerabile.

Corradino si ricorderà sempre di quella luce tranquilla. Cate s'era seduta sulla poltrona, con le gambe accavallate e le due mani sui braccioli. «L'altro giorno là c'era Ernesta», pensò Corradino, ed ecco Cate lo guardava come Ernesta – con gli occhi molli, raccolti – quasi che le frasi che s'erano scambiate salendo le scale e ridendo, fossero escluse da quella stanza, appartenessero all'esterno, al baccano della strada.

Parlavano di andare in barca e Cate fumava una sigaretta. Era come un discorso normale: Corradino diceva che non c'era piú andato, e Cate, esalando il fumo, ascoltava seria, come per dovere. – Prendo del sole, questo sí –. Cate taceva.

Salendo le scale aveva detto: – Vengo a fumare una sigaretta con te –, e adesso la sigaretta stava per finire e nulla accadeva. Corradino pensò con rivolta alla solitudine imminente, e il suo rancore contro Cate aumentò. Fu allora che prese il coraggio a due mani e le chiese se nemmeno lei era piú tornata in barca. Glielo chiese tra il fumo, quasi senza guardarla.

– Ti piacerebbe se fossi tornata?

– Non dicevo con me, – balbettò Corradino.

Cate allora sorrise, un sorriso cosí ambiguo che Corradino non poté distogliterne gli occhi. «È venuta per vendicarsi, – pensò disperatamente, – è venuta per questo».

– Corrado, sei sempre lo stesso. Si capisce che sono ancora andata in barca. Ma tu, neanche una volta hai pensato a me in questi anni?

Corradino annuí del capo, senza lasciarla cogli occhi. Il sorriso di Cate si era fatto sottilissimo, e dileguò a poco a poco, senza ostilità.

Cate si alzò e venne a posare il mozzicone, sul tavolo, accanto a Corradino. Corradino fu per abbracciarla, ma a un tratto Cate volse la faccia, proprio sotto la sua, scottante.

Nell'agitazione lo scrutava, uno sguardo sollecito e serio, come quando si consola un bambino.

– Mi piace la tua stanza, – disse. – Stai qui da molto tempo?

Corradino balbettò una risposta, e già Cate era alla finestra. Scostò la tendina e guardò nella strada. Corradino non si mosse: era ridicolo rincorrerla.

Cate si volse divenuta gaia. – Hai la pettinatrice proprio davanti al portone. Le tue amiche saranno contente.

– Non volevo salire, scusami. Ma sono curiosa –. Corradino le aveva preso una mano. Cate lasciò che le baciasse la palma – erano strane le unghie laccate – e disse canzonando: – Non sono mica una signora.

– Ho fatto male a salire, scappo –. Corradino le teneva la mano e non sapeva scherzare, non sapeva far sul serio. – No, non hai fatto male, – mormorò.

– Dico per te, – rispose Cate.

Le chiese almeno se potesse rivederla. – Oggi? – Cate pensò un momento. – Al giardino della piazzetta sotto casa mia. Ci sei passato l'altra notte. Verso le quattro?

Cate non volle uscire con lui; scappava subito, e lo lasciò nel corridoio. Corradino attese un pezzo nel buio, dietro la porta, che quei passi morissero giú dalla scala, poi uscí furtivo perché la padrona non capisse. Di finire il mattino nella reclusione della stanza non se la sentiva.

Era ridicolo rincorrerla, ma al giardino ci andò. Tanto il lavoro cominciava alle sei: tutto in quel giorno congiurava. Ci andò dicendo: «Posso sempre ritirarmi». Sperò persino che Cate non ci fosse e non vederla mai piú.

Ricordava il giardino come poche piante fra i caseggiati e una fontana e una fetta di cielo. Lo avvistò dall'angolo – pieno di sole, polveroso e strillante. Ci giocavano i bambini: c'erano donne e qualche balia. Corradino cercò con gli occhi la fontana. Coperto da un tronco, esaminò noncurante i gruppetti. S'era immaginato un appuntamento solitario, e piú del solito gli diedero ai nervi i bambini vocianti.

Cate lo vide: era seduta su una panchina in ombra e stava togliendo la giacchetta a un ragazzino che fuggí liberandosi con uno strattone. Corradino venne avanti a malincuore; Cate non era sola: due ragazze dall'aria di serve sedevano là; meno male che un soldato, poggiato a una pianta, se la discorreva con le ragazze.

Cate disse: – Buon giorno, – con cordialità; una delle serve volse la faccia tonda a guardarlo. Lo squadrò bene dalla testa ai piedi, poi sorrise, come Cate sorrideva tendendogli la mano. Corradino disse qualcosa; la serva guardava sempre; e allora Cate si alzò in piedi dicendo: – È una disperazione –. Aveva ancora in mano la giacchetta del bimbo e se ne fece riparo agli occhi per rintracciarlo tra gli altri.

Corradino aspettava che Cate si allontanasse con lui dalla panca, ma vide con dispetto Cate risedersi. Allora perse la pazienza e disse piccato: – Oh Cate, fai la balia? – Mentre parlavano, fissò la servetta con tanta attenzione che questa smise e si rivoltò ostentatamente al suo soldato.

Cate diceva: – Faccio la mamma.

– Chi è quel bambino?

– Mio figlio.

Corradino arretrò di un passo. Vide un guizzo, un rossore negli occhi di Cate, che imponevano silenzio. La servetta non s'era voltata.

Quando finalmente le due ragazze andarono a cercare i loro marmocchi e il soldato si fu allontanato, Corradino si sedette sulla panchina e chiese a Cate di spiegarsi.

– Ti ho detto che è mio figlio e quando vado in viaggio, lo lascio a mia sorella. È sposata e sta là al terzo piano.

– Ma tu non sei sposata, – balbettò Corradino.

– Ebbene? – disse Cate con semplicità. – Non si può avere un bambino se non si è sposate? Capita, no?

Corradino dice che Cate parlava senza scomporsi e ci metteva una certa picca. Dice che quando le chiese perché non gliel'aveva detto prima, Cate rispose che voleva prima sapere se gli dispiaceva. – Perché, adesso lo sai se mi dispiace? – chiese Corradino. – Dovevo dirtelo stamattina, – ribatté Cate, e lo guardò fisso. – Ho capito stamattina che dovevo dirtelo.

Corradino lí per lí non seppe rispondere, ma poi tornò alla carica e le chiese di nuovo se adesso sapeva che gli dispiacesse. Era giocare a rimpiattino, e Cate se la cavò rispondendo che loro erano amici e dovevano comprendersi. Dino – il ragazzo – tornò di corsa in quel momento, facendo schizzare la ghiaia.

Cate lo tenne e gli riavviò i capelli, gli volle infilare la giacchetta perch'era accaldato e gli disse di salutare.

– Quanti anni hai? – chiese Corradino.

– Sei e mezzo, – rispose Dino con una voce chiara, ansante, – vado per sette.

Cate gli chiese con chi giocava. Dino fece dei nomi, indicò dei balconi del caseggiato, parlò di classi.

– Vai a scuola? – domandò Corradino.

– E come, – disse Cate, – se deve uscire ingegnere bisogna pure che studi.

– Vuoi fare l'ingegnere? – disse Corradino.

Il sí della risposta giunse con gli schizzi di ghiaia. Dino
era già lontano. – È uno strappatutto, – disse Cate.

Tacquero un poco, mentre lei riordinava una borsa, senza
guardarlo.

– È un bellissimo ragazzo, – disse Corradino, fissandole
le mani che tormentavano la borsa. Rivide quelle unghie
rosse nei capelli agitati del ragazzo e si vergognò di aver
pensato quel mattino a sedurla.

– Brava Cate. E vivi con suo padre? Posso almeno saper
questo?

– L'abbiamo allevato io e la mamma, – ribatté Cate, rial-
zandosi a un tratto, rossa e orgogliosa. – Non c'è altro da
sapere.


L'indomani arrivò una cartolina da Camogli, dove tra
molte firme c'era il nome di Marina. Anche il padre e la madre avevano firmato e Corradino guardò a lungo quei nomi.
«Qui si sono riuniti a consiglio», pensò beffardo, e uscí sbirciando il telefono, col terrore che scoppiasse a suonare. Quel
mattino voleva star solo.

Non fece a tempo per il Sangone e andò piú presto alla
trattoria, ma sul punto d'entrarci esitò e si decise per un
ristorante insolito. Qui almeno non c'erano facce note, e i
camerieri s'inchinavano e il servizio era tale che non sarebbe dispiaciuto nemmeno a Marina. La colazione gli costò il
doppio, ma una vita solitaria come la sua costava sempre
troppo poco. «Non ho mai mantenuto bambini, – pensava
quel giorno, – non ho saputo legarmi con nessuno. Questa
è la mia natura. Ho conosciuto delle donne e le ho piantate.
Domani, se Marina ci stesse, pianterei anche lei».

Tutto quel giorno lo passò di malumore, e a notte si vide
con Giusti. Non osò proporgli di andare al Parco e ascoltò
tutta la sera le chiacchiere di Giusti che s'accorse della sua
grinta e cercò di distrarlo. A un certo punto s'attaccarono e
Corradino gli disse che l'esperienza serve a insegnarci non
quello che dobbiamo fare ma quello che inevitabilmente fa-

remo, dato che un uomo, per quanto in gamba, è come un ponte che ha una certa portata e non oltre. Viene un carretto che pesa di piú, e il ponte crolla.

– E be', questo è bello, – disse Giusti, – cosí uno fa prima i suoi conti.

Corradino, che si era animato parlando, non continuò la confessione fino a chiedergli che conti possa fare chi si è accorto di non portare neanche un grillo e scricchiolare tutto il giorno. Ma Giusti l'aveva veduto infervorarsi e ne fu soddisfatto, e passò a dire che trattandosi di donne – era ben di donne che si parlava? – il ponte lo facesse fare a loro. Qui cominciarono a scherzare e il discorso si perse.

Tale era la compagnia di quei due. Corradino dice che sentiva sovente il bisogno di sfogarsi con me, e che quando alla fine di luglio Giusti partí, provò un sollievo. Stavolta fu proprio solo, e un poco se ne compiacque: lui era fatto cosí. Riprese a bagnarsi tra i salici.

– Vedi, – mi disse testualmente l'anno dopo, – io in quel luglio aspettavo qualcosa, e quando si aspetta qualcosa, qualcosa succede. Ma per mettermi in questo stato io mi isolavo, me ne andavo la mattina al Sangone a cercare me stesso nell'acqua e sotto lo specchio del sole. Chi cerca, trova. E che cosa potevo trovare in mezzo a quei salici, nudo a guardarmi l'ombelico e il membro come se fossi per fare un figlio? Trovavo un essere ridicolo e superato – me stesso – e con Cate in mente, perché pensavo a Cate piú che a Marina, di volta in volta mi odiavo di piú, ritornavano a galla tutte le mie magagne, scoprivo – ecco il punto – che io la gente, e specialmente le donne, li avevo sempre trattati allo stesso modo: conosciuti e piantati. Con nessuno ho mai fatto vita in comune né assunte le mie responsabilità. Non sono amico di nessuno, neanche tuo.

Questa faccenda dell'amicizia Corradino ci torna sovente, me la spiegò piú volte, e sostiene che non è un mio vero amico perché è geloso di mia moglie. Cosí come dice lui, gli faceva dispetto che Cate in quei giorni non telefonasse: perché ciò significava che aveva di meglio, fosse questo meglio anche soltanto il piccolo. – E nota, – mi dice, – che avrei potuto andare al Parco –. Un'altra cosa che l'infastidiva era il dubbio che già in passato, quando anche lui l'aveva violata e umiliata, Cate potesse averlo giudicato con quel sorriso am-

biguo. Lui davvero ci soffriva, perché il sospetto lo toccava
nel vivo.

Verso i primi d'agosto Corradino si decise per Camogli e
chiese le ferie. Se avesse potuto sarebbe scappato la sera
stessa, ma l'ufficio gli fece presente che tutti mancavano e
doveva aspettare una settimana. Corradino sorrise e brontolò: «Tanto peggio per Marina».


L'indomani portò Cate in barca, secondo che combinaro-
no al telefono lí per lí. La sera prima era stato al Parco, dove
l'aveva trovata assai truccata e con un nuovo cappello. Corradino andandole incontro le aveva visto stavolta, nel river-
bero del palcoscenico, la faccia del mestiere, quei lineamenti
consunti e troppo vistosi che sanno di luci false e di vita notturna. Cate era stata quella di sempre, e gli aveva dato la
mano e parlato con confidenza, ma Corradino s'era compiaciuto di guardarla come se non l'avesse mai vista e aveva
cercato di convincersi che questa Cate era la vera. Ci sarebbe riuscito ballando con lei (– Un giro con te Corrado posso
farlo –), se al tavolino non avessero avuto compagnia – la
compagnia invadente di chi nel Parco si trovava come di
casa e non permetteva altro colloquio che il suo. Gente del
varietà che a Cate dava del tu. Soltanto in quel giro di ballo
Corradino aveva potuto farle promettere che avrebbe telefonato la mattina dopo. E telefonato aveva e concluso lei
stessa: – Andiamo in barca.

Corradino sapeva che la proposta di Cate era innocente,
ma il dispetto che l'accompagnò per la strada non nasceva di
qua. Scesero all'imbarco tenendosi, non a braccetto – Corradino le prese il gomito con la mano – e saltarono ridendo
e incespicando nella barca; Corradino la sostenne, fu sul
punto di cadere, si sedettero. Cate rideva – rideva come tutte le donne in questi casi – e si raccoglieva la gonna alle ginocchia. In questo gesto, e nel viso beato dai denti scoperti,
Corradino intravide l'inconscio passato di quand'erano ragazzi e capí che Cate veniva in barca per il capriccio di ritrovare, e giudicare al confronto, i suoi giorni lontani.

Cate adesso s'era ricomposta. Corradino si spogliò a torso nudo mostrando l'abbronzatura, e cominciò a remare.
Scivolarono sotto la riva, nel verde tenero del Valentino.

– Perché al Parco non porti tuo figlio? – disse a un tratto
Corradino, serrando i denti. Ma Cate non raccolse l'astio

della voce; girava gli occhi socchiusi nel sole avanti a sé, godendo. Adesso che s'era tolto il cappello, le sue labbra e la gola scoperta non erano piú cosí giovani e tradivano il logorio della vita notturna.

A una replica della domanda Cate rispose che per ora Dino lo teneva la sorella; non aveva un'età da capire che il varietà è un mestiere come tanti. Forse, tra qualche anno, se lei si fosse sistemata, l'avrebbe portato in giro con sé, ma comunque doveva studiare e per studiare bisogna non distrarsi. – Ci penso sempre, – disse. – Non voglio che da grande mi possa rimproverare che gli sono mancata.

Corradino tacque, chinando e incrocicchiando i remi.

– Ma li hai i mezzi per tirarlo su? – disse a un tratto.

Cate rispose sorridendo, che finora se l'era sempre cavata. – Nel nostro mestiere ci sono tante canaglie, ma c'è anche della brava gente. Ho chi mi aiuta, – disse.

– Quel tale di ieri? – borbottò Corradino. – Cos'è? musicante?

Cate non smise di sorridere e non rispose con parole. Ma nel modo come lo fissò c'era un raccoglimento, un'insistenza che metteva a disagio.

Nel sole si cominciava a sudare. Corradino lasciò i remi e chinandosi sull'acqua se ne spruzzò a mano cava le spalle. Poi si bagnò i capelli.

– Non hai caldo, Cate?

Cate scosse il capo, senza smettere di guardarlo con quegli occhi ambigui. «Ecco, – si disse Corradino cercando i remi a tentoni, – mi fa l'esame; pensa com'ero a quei tempi; si ricorda le sciocchezze che dicevamo».

– Non sarebbe piú semplice se lo mantenesse suo padre? – disse rialzando il capo alla fine. – Lo sai almeno chi è suo padre?

Cate si strinse nelle spalle; non si offese nemmeno. Lo guardava non piú fissa, ma come di sottecchi; col sole in pieno sul viso non si capí se arrossiva.

– Corrado, – disse piano, – tu lo sai chi è suo padre.

Corradino dice che lasciò andare i remi e si sentí accapponare la pelle. Cate lo fissava sempre, con un sorriso di pena negli occhi, e sotto quegli occhi Corradino trovò la forza di contenersi, di riafferrare i remi, di tirare un respiro. Gemette: – Mah no, – con un tono che un nulla poteva rendere ironico, ma che gli occhi di Cate costrinsero subito a suonare smarrito.

Corradino dice che negli istanti che seguirono provò soprattutto un gran crampo allo stomaco e come uno smemorato non smetteva di pensare che da giorni, dalla sera dell'incontro e anche prima, aveva presentito quell'angoscia e saputo che per lui cominciava qualcosa d'irreparabile. Dice che mentre ascoltava e balbettava, dava ogni tanto un colpo di remo per raddrizzare la barca, e che Cate s'interrompeva con un riso forzato, ch'era come una difesa, quasi a dire che quel discorso lo faceva a lui come a un altro, cosí come si chiacchiera quando si è soli e si scherza per farsi coraggio. Una cosa – dice – fu evidente fin da principio: Cate non parlava per commuoverlo, per accalappiarlo. Aveva anzi un tono esitante, di sforzo, quasi sapesse di fargli del male e volesse smettere, risparmiarlo.

– Mi avevi appena lasciata, – diceva. – A che cosa serviva? Saremmo stati male tutti e due. In quei tempi ero matta ma non al punto da non capire che volevi piantarmi.

Corradino si aggrappò a questo tono di Cate perché ci vide – non la salvezza: all'avvenire non osò pensare – ma una semplice possibilità di non diventar folle sul posto, un permesso che Cate gli dava di continuare a essere lui. Dice che fece le obiezioni piú stupide e che intanto pensava che – siccome era vero – le sue parole erano inutili; ma come si fa a sentirsi dire che da anni si ha un figlio e conoscere appena la madre?

– Attento, c'è una barca, – disse Cate, e Corradino dovette riprendere i remi e scostarsi. Erano in quattro sulla barca – c'era anche un soldato – che rasentandoli respinsero la sua con le mani e dissero qualcosa, ridendo di Cate.

Tornando all'imbarco, la prua batté un colpo secco contro il molo, tanto che la padrona cominciò a lagnarsi, ma Cate e Corradino non stettero a sentire. Furono subito sul viale; non parlarono. Quando ripresero il passo normale, andavano a braccetto.

Era evidente che adesso Cate aspettava qualcosa da lui. Cominciare per esempio a rimproverarla perché aveva osato affrontare da sola un cosí grande sacrificio. Invece Corradino disse che il bambino aveva sei anni e loro non si vedevano da otto. Cate scosse il capo. Da sette.

– Scusami, – disse allora Corradino, – ma è come ricevere un mattone in testa.

Cate gli strinse il braccio e con voce piú calma, adesso che

non si vedevano piú negli occhi, prese a spiegargli che non
gli serbava rancore, che gli aveva parlato non sapeva bene
perché, che nessuno di loro ci aveva colpa, o lei soltanto per
essere stata una sciocca. – Quanto è successo non cambia
niente, Corrado. Vorrei soltanto che tu mi capissi.

Corradino cércava affannosamente qualcosa da dire che
le facesse piacere. – Come, non cambia niente? – esclamò.

– Restiamo amici come prima, – disse Cate. – Non avere
paura.

Qui a Corradino accadde una cosa curiosa. Via via che le
parole di Cate – ma potrebbe giurare che Cate gli disse ben
altro da ciò che ricorda – confermavano la prima impressione che lei fosse decisa a non chiedergli nulla, né a farsi aiutare, né tanto meno a sposarlo; che gli avesse insomma con-
fidato il segreto per debolezza e ora pensasse di andarsene
stringendogli la mano e rimanendo creditrice; via via che
questo si faceva evidente, Corradino sentiva nascere in se
stesso un rancore, un sentimento di orgoglio ferito, come
se in credito fosse lui.

L'idea di avere un figlio era mostruosa – e di averlo a quel
modo, di fidarsi a quel modo della parola di Cate, era assurda – eppure il solo sospetto che quelle donne – lei, la madre e la sorella – avessero per sei anni, per sette, maneggiato
come proprio quel bambino, l'avessero allevato, trattato, vestito, come se lui non ci fosse ma intanto sapendo, almeno
Cate, ch'era suo, gli rimescolava il sangue.

Staccandosi, per l'agitazione, dal braccio Corradino disse
la prima cosa gentile, l'unica di quel giorno:

– Magari mi somiglia.

E cacciò un sospiro. Si sentiva sorvegliato dagli occhi di
Cate.

– No, – disse Cate, – non trovo. Forse quando sarà giovanotto...

– Capisci. Gli aveva messo il mio nome, – brontola Corradino ogni volta che me ne riparla. – Ma era convinta che
non mi somigliasse. Non aveva torto probabilmente, ma sono cose da dire a chi ha saputo in quel momento di esser
padre e non se n'è ancora capacitato?

La forza di Cate – dice Corradino – era questa, fatta d'ingenuità. Cate non aveva segreti, diceva tutto crudamente
magari guardando in faccia e ridendo per farsi coraggio.
Non si curava di nascondere una sua decisione, un sentimento che le paresse di provare. O forse faceva cosí soltan-

to con Corradino perché sapeva ch'era il modo piú certo di dominarlo e schermirsi.

– Tu sei buono a parlare cosí, – gli disse nel giardinetto quel giorno stesso, – ma io non potrei mai darti la certezza che Corrado è tuo figlio. Ho fatto male a parlartene. Queste cose o si sentono subito o mai piú.

E cosí Corradino, venuto a vederli per dire al ragazzo: – Non lo sai chi è tuo padre? – se ne andò con l'impressione di essere stato lui sedotto, sette anni prima. Dino al solito giocava con gli altri, e gli stette fra le ginocchia solo quel tanto che bastò a Cate per tirar fuori dalla borsa la merenda. Corradino l'aveva preso per i polsi e fece fatica a trattenerlo. Ne sentí le braccia riluttare energicamente, come ci si stupisce della forza di un cagnolino. La voce acuta che levò dibattendosi gli scosse il cuore; Corradino non aveva mai pensato che tra i grandi e i bambini è aperta una lotta, una diffidenza perpetua, e che i bambini non lo sanno ma vivono gelosamente in un altro mondo. Quando restarono soli, Cate disse che Dino, tutto sommato, era ubbidiente, ma che piacergli era difficile e l'anno scorso per non salutare un tale aveva passato un pomeriggio nascosto in fondo alla scala.

– E di suo padre non sa niente? – disse Corradino.

Cate scosse il capo. – Non chiede? – Sí, l'ha chiesto, ma non ho mai voluto dirgli ch'era morto. Per adesso si accontenta di sapere che non c'è.

Fu allora che Corradino giocò tutto e disse, interrompendosi piú volte, che lei Cate doveva comprenderlo («parlo come una donna», pensò) e lasciargli il tempo di orientarsi, di conoscere Dino, di conoscere lei, di convincersi che voleva bene a suo figlio e intanto la ringraziava, anzi non aveva parole, per tanti sacrifici che lei doveva aver fatto. E Cate calma ma recisa gli aveva dato quella risposta.

Ripensandoci, Corradino cominciò a sentirsi giustificato. Quella notte (la sua prima notte di padre) andò in giro solo, fumando nervosamente, riesaminando tutto quanto. Era evidente che Cate, se davvero da lui non voleva nulla, non aveva mentito e quel Corrado era suo figlio. Se invece Cate avesse finito per irretirlo e accettare – che cosa? di sposarsi o soltanto dei soldi? – ecco che il dubbio rimaneva. Quando vide chiaramente il dilemma, Corradino fece una smorfia – di sogghignare non ebbe la forza.

Nel ricordo che gliene rimase, Corradino insiste che quel-

la notte festiva fu assai diversa da altre consimili da lui trascorse a fuggire per le strade un accesso vulcanico di gelosia,
d'amore o di entusiasmo. Dice che, per quanto il senso del
precario equilibrio in cui ancora si sosteneva lo dilaniasse,
sentiva sotto il tumulto una calma, una certezza e speranza,
che non volevano lasciarlo. Al solito, quando me ne parlò,
sostenne che questa sicurezza gli veniva soltanto da ciò che
Cate aveva detto per tranquillizzarlo: e piú che dai discorsi,
dalla voce di lei, risoluta a non cedere e a non lasciarsi aiutare. Fin da allora, dice Corradino, aveva capito che Cate di
lui non voleva saperne, e questa era la calma, la speranza
che lo sorreggeva.

Ma io so che Corradino ama calunniarsi e mi provai a
convincerlo che, se tra i pensieri smaniosi di quella notte
non entrò piú quel senso di futilità di tante sue crisi, ciò nasceva soprattutto dal fatto che stavolta la crisi lo trattava
da uomo, proponendogli, invece che sciocchezze, delle realtà, delle vite umane, un problema di condotta che lo strap-
pava al suo isolamento. Ma Corradino scuote il capo e dice
che è vero tutt'altro: che per Cate non sentiva una briciola
d'amore ma piuttosto dell'astio come per tutti i testardi, e
quanto a Corrado, al suo minacciato figlio, dice che ancor
oggi ci pensa come a un estraneo, pur essendo convinto che
Cate non gli ha mentito. – Non sono fatto per l'amore pa-
terno, – protesta, – l'idea che mio figlio fosse finito in mano
altrui, prima di tutto mi dava un senso di scampato pericolo
e poi, se mai, m'indignava come indignano un furto o una
truffa patita.

– Ma è naturale, – gli dico, – anche di questo è fatta la
paternità.

– Spiegami allora, – comincia lui ridendo, – come mai già
da quella notte io sapessi, sapessi che, passati sei giorni, sarei partito per Camogli e avrei lasciato Dino a Cate, e sarei
corso dietro a Marina?

– E quella lettera che mi hai scritto in montagna?

La lettera, borbotta Corradino. Era accaduto questo. L'indomani di quella notte lui s'era svegliato con un senso di
affanno, di annientamento del cuore e, come succede, nel
dormiveglia aveva toccato il fondo del disgusto. Con l'atroce evidenza che prendono all'alba certi pensieri, si era sentito nudo nel letto, meschino e colpevole. Cominciarono a
passargli in mente in un crescendo di rimorsi le sue poche
donne: Ernesta, Cate, una commessa senza nome, le prosti-

tute senza volto e persino, benché non l'avesse mai toccata,
Marina. Tutte gli dissero la stessa cosa, l'oppressero con lo
stesso ricordo, come deve succedere a un imputato caduto
nelle mani dei suoi accusatori. Incapace di difendersi, nel-
l'alba silenziosa, Corradino vide stavolta lucidamente ciò
che sostiene essere la sua realtà. Quelle donne lui le aveva
sempre trattate a un modo, con nessuna era stato capace di
dire una parola da uomo, di uscire dal suo isolamento. Almeno fosse stato brutale, capace di dominio o di stupro.
Pensò quel mattino che lui le aveva tutte violate lasciandosi
violare, primo le prostitute con le quali – impossibile vin-
cersi – passava sempre per signore compito, per distinta
persona, e ancora adesso a trent'anni gli chiedevano se non
era studente. E tutte – Ernesta, Cate, e domani Marina –
finivano per staccarsi da lui, indispettite e deluse dal suo
invincibile lasciar fare. Ora – questo scottò Corradino – se
cosí si era comportato con tutte, voleva dire che la sua realtà era questa e che sempre avrebbe reagito a un modo. La
portata del ponte.

Quel mattino ritornò al Sangone, per ripensare a queste
cose nella calma del sole. Si spogliò in mezzo ai salici e poi
fumando si guardò il corpo asciugare nella luce. Va da sé che
l'umiliata tristezza del risveglio s'era ormai dileguata nella
luce e nella fatica; pensava adesso, com'era inevitabile, a
Cate e al ragazzo. E sul suo corpo abbronzato e adulto faceva confronti con la statura di Dino, con le gambette e i polsi
di quel diavolo tanto piú vigoroso che lui non si aspettasse,
che lui – ne era certo – non l'avesse generato. Indiscutibile
che il merito di averlo fatto cosí bravo e sano andava a Cate.
E allora – pur sospendendo il giudizio se fosse lui suo padre – cominciò a chiedersi se anche in quel piccolo corpo
non maturasse un carattere come il suo – solitario e ritroso.
«Sarebbe un esperimento, – pensava. – Se, lontano da me,
verrà un giorno a somigliarmi vuol dire che il carattere è
dato dalla nascita e non dall'ambiente. È il caso degli orfa-
ni». Su questo pensiero, Corradino tornò a vergognarsi e
si disse che lui purtroppo non era morto e gli toccava sposar
Cate. Con la stessa evidenza con cui la mattina svegliandosi
aveva sentito la sua futilità, capí stavolta che aveva un dovere da compiere. Un dovere – dice adesso beffardo – che
non era spiacevole: «Cate è una bella donna e mi farà degli
altri figli».

Fu allora che, commosso da velleità, concepí la lettera che

doveva scrivermi, e soprattutto quelle frasi «...*c'è adesso uno scoglio, molti scogli, che mi romperanno la testa... tutto succede come alla guerra: è indescrivibile... potrei anche fare una cosa che non ha nessun vero rapporto con quanto mi succede...*»; e questa cosa – va da sé – fu ciò che fece quando in capo a sei giorni salí sul treno per Camogli.

Una rivelazione come quella della barca avrebbe dovuto avvicinarli almeno per un poco, per un giorno, avrebbero dovuto vedersi e riparlarne – non sarebbe mai piú salita Cate nella sua stanza? – ma lasciandosi, al solito non avevano preso appuntamento. Era inteso, questo sí, che si potevano trovare nel Parco la sera. Corradino pensò ch'era un modo di Cate per imporgli il suo ambiente e vendicarsi. Sette anni prima, un pomeriggio – *quel* pomeriggio – l'aveva lasciata su un angolo dimenticandosi di darle appuntamento e non s'erano piú veduti.

Ma Corradino tornò al giardinetto. Vi fece una scappata, perché al giornale lo aspettavano; sbucò tra le piante, si fermò dietro un cespuglio. Non volle, o non osò, farsi vedere da Cate; forse fu l'idea romanzesca di nascondersi per spiare suo figlio. Seguí con gli occhi un ragazzetto che già conosceva; ne vide un altro, poi un altro: ecco Dino. Stavano in cerchio, e proprio Dino contava animatamente i compagni puntando successivamente a ciascuno il dito sul petto. Poi si levò uno stridio e tutti fuggirono. Si formò, piú lontano, un gruppetto di tre, fra cui Dino e cominciarono a urlare stringendo i pugni. Dopo un momento se ne staccò Dino trottando col colletto in aria, e corse fino alla panchina di Cate che s'era alzata e lo chiamava. Corradino la vide afferrarlo per un braccio e parlargli. «È un vigliacco com'ero io», balbettò staccando gli occhi e allontanandosi.

La sera stessa andò al Parco. Fino all'ultimo resistette – toccava a Cate telefonargli – seduto davanti alla finestra spalancata, guardando il giorno cadere. Dice che come al solito in quell'ora pensò a Camogli, a Marina.

Il telefono suonò improvvisamente. Corradino impallidí dalla rabbia quando sentí la voce di Ernesta. Le chiese bruscamente perché telefonava. L'altra, con voce esitante, balbettò che non aveva piú notizie, che non c'era piú nessuno, che credeva che fosse già partito per la campagna. Voleva salutarlo. – Vedi che ci sono ancora, – disse Corradino, addolcendo la voce. Ernesta tacque, senza riattaccare. Corradino taceva. – Allora, ciao, – disse Ernesta piano. Corradino le rese il saluto e riattaccò.

Prese il tram, risoluto, e andò al Parco. Cate non c'era ancora. Lui voleva parlare, voleva muoversi, fare qualcosa. Vide quel tale dell'ultima volta, che aveva spettegolato di canzoni insieme a Cate, e che Cate rispondendogli guardava negli occhi con calore. Era un bell'uomo dalle tempie grige. Lo abbordò. Mentre discorrevano, ecco Cate.

– Oh, avete fatto amicizia, – disse. – Aspettatemi.

Quella sera cantava una certa Naldina, che tutti loro conoscevano e che andavano e venivano a salutare. Era una donna piú giovane di Cate, una bionda sciupata e fiorentina, che rideva con slancio, e dominava il pubblico con gesti da predicatrice. Corradino si chiese, mentre ascoltavano, che cosa poteva essere Cate sul palcoscenico. Cosí seduta vicino a lui e attenta con la mano sotto il mento alla voce sfacciata dell'altra, aveva qualcosa di assurdamente infantile e insieme materno che lo fece sorridere. – Canta bene? – le chiese all'orecchio. Cate s'aggrottò un istante e, senza distogliere gli occhi dal palcoscenico, sorrise.

La Naldina, applauditissima dal loro gruppo, meno dagli altri tavoli, venne poi a sedersi con loro, fendendo le coppie vestita dell'abito da sera con cui aveva cantato. Quel musicista di Cate, dalla voce compita, quarantenne, l'accolse con entusiasmo – tutti si davano il tu – e soltanto allora Corradino s'accorse ch'era anche lui toscano. La Naldina, quando le ebbero acceso la sigaretta, scrutò Corradino, e intanto tutti, compresa Cate, parlavano del diverso calore del pubblico di Firenze e di Roma.

– Voialtri siete piú mosci, via, – disse la Naldina emettendo la boccata, quando Corradino ebbe detta anche lui la sua, e Corradino la detestò, la detestò dalla testa ai piedi, ne odiò lo sguardo, la voce, il mestiere, il vestire. Tanto piú l'odiava perché c'era in lei qualcosa di Cate: quella schiettezza, quel bastare a se stessa, quel discorrere tra loro di cose futili con la gravità delle donne.

Tutti parlavano dei fatti loro, tutti intorno alla Naldina – soltanto il compíto toscano pur intervenendo con uscite improvvise nel discorso comune, intrattenne Corradino intavolando con lui una chiacchiera sostenuta. Corradino gli diede risposta su argomenti per lui vergini, ma Cate l'aveva presentato come giornalista e bisognava starci. Il signor

Pippo – tutti lo chiamavano Pippo – era preoccupato di una questione di protezione sindacale degli orchestrali, e di qui Corradino si convinse definitivamente che fosse un musicante. Di tanto in tanto anche Cate volgeva gli occhi, in ascolto.

Poi Pippo e la Naldina si alzarono per ballare e la Naldina disse a Cate facendo una smorfia: – Tu permetti, vero? – e tutti sorrisero e risero.

Venne un momento quella sera che loro due sedevano soli sulla panchina dell'ingresso, e Cate taceva nervosa, aspettando qualcuno, rispondendo appena al discorso di Corradino. Il Parco era già semivuoto; la Naldina e il signor Pippo mancavano da mezz'ora. Corradino aveva capito ogni cosa; fin dall'ultima sera l'aveva capita; soltanto un dubbio gli restava e se lo rivolgeva tra sé, per quanto assurdo.

– Da quanto tempo lo conosci questo maestro Pippo?

Cate si fece rossa e gli chiese perché lo chiedeva.

– Niente, – disse Corradino. – Vedo che te ne fidi molto e non vorrei che fosse il primo venuto.

Allora Cate gli spiegò vivacemente che l'aveva conosciuto due anni prima e che era un ottimo compagno, pieno di volontà di lavorare, di quelli che fanno carriera senza rinnegare i colleghi.

– E cosa fa qui a Torino?

Allora Cate gli disse: – Tu potresti aiutarlo.

Corradino ascoltò come poteva aiutarlo, e rispose che alla Radio non conosceva nessuno. – Basterebbe una parola al Tale, – disse Cate, con un certo fervore ma senza smettere di allungare il collo verso l'ingresso.

Corradino sorrise. – Devo proprio ringraziarti, – disse. – Non solo non mi rinfacci nostro figlio, ma vuoi che ti aiuti a liberarmi di te.

Cate aggrottò la fronte. Non capí le parole, capí il sentimento. Si confuse un istante ma senza arrossire, perch'era già rossa; lo guardò di sfuggita, con gli occhi molli. – Corrado, – disse, – non ne abbiamo colpa, – e gli strinse il polso con un gesto convulso.

– Naturalmente il tuo pianista è scapolo, – continuò Corradino. Cate annuí, senza guardarlo.

Allora tacquero entrambi. Corradino, sorridendo per dominarsi, capiva che Cate pensava già ad altro, a quel Pippo. Quella sua agitazione dei sentimenti piú assurdi era spre-

cata, era inutile. Si alzò in piedi, tendendo la mano a Cate.
– Buona notte, – le disse. Cate lo guardò vivamente, e gli
tese la mano esitando. – Arrivederci, – balbettò.

Per qualche giorno Corradino, nei momenti piú critici
della sua attesa si compiacque di ripensare all'imbarazzo di
Cate e alla nuova capacità di veder tutto dall'alto cominciata per lui nell'istante che aveva sorriso invece di offen-
dersi. «Basta un niente, – pensava, – basta sorprendere una
donna quando lei non se l'aspetta, e si ridiventa i padroni».
Padroni di chi? Toccava a Cate farsi viva, e passarono due
lunghi giorni senza che il telefono squillasse.

Corradino si proibí anche di recarsi al giardinetto, e per
darsi pace si diceva che magari il ragazzo era figlio di quel
Pippo e che Cate, trascurata da costui, aveva tentato una
truffa per farsi compiangere da lui Corradino e strappargli
una raccomandazione con cui sistemare l'amante e rientrar-
gli nelle grazie. Ma in questo caso la sua attesa di mezza
l'estate, la sua preparazione in solitudine, il suo bisogno di
una solitudine diversa, si sgonfiavano e sfumavano. Corradino avrebbe accettato anche questo, ma alla durezza, alla
seria semplicità di Cate non poteva rinunciare: adesso che
si trattava di combattere, voleva una Cate per cui valesse
la pena di sentirsi geloso. E che Dino fosse suo figlio gli
sferzava il sangue, gli dava il diritto di guardare in faccia
Cate. – Certe disgrazie si desiderano, – dice oggi ancora
Corradino.

Ma il telefono taceva. La sera del terzo giorno (ancora
due notti e poi le ferie) tornando dall'ufficio Corradino trovò il nostro telegramma. Dice che lí per lí sorrise compiaciuto all'idea che avessi data tanta importanza alla sua lettera; ma poi rilesse, cominciò a vergognarsi, si sentí canzo-
nato e soffrí molto. Ripensò a quanto aveva scritto e all'u-
miliazione di quel mattino, ai tumulti di quella notte quando il pensiero di avere un figlio e di non possederlo gli
riempiva il cuore di velleità generose. Era dunque accaduto
che anche stavolta lui s'era futilmente abituato. La sua realtà era proprio questa, come svegliandosi aveva pensato quel
mattino. La sua portata aveva ceduto come al solito, e non
c'era che da piangerci sopra. «Qualcosa voglio fare», si
disse.

Invece non fece nulla. Andò semplicemente al Parco e trascorse la solita sera al tavolino degli artisti, ascoltando le canzonette, guardando ballare. A Cate, un momento che restarono soli, chiese notizie di Dino e l'ascoltò parlare delle sue preoccupazioni, dell'indole e dei piccoli fatti del ragazzo. S'accorse che Cate era felice, e un po' orgogliosa di dirgli queste cose. Ballarono insieme.

Poi accompagnò il maestro Pippo al bar e gli disse che Cate gli aveva accennato al suo caso ma non s'era spiegata bene; non poteva lui precisargli qualcosa del suo passato? Nella chiacchierata che seguí Corradino ebbe la conferma che quell'uomo conosceva Cate soltanto da due anni. Per quanto pianista, parlava con molto buon senso e pareva persuaso di non essere un dio. Nel Varietà aveva suonato per vivere, ma la sua educazione era piú seria; accennò di passaggio a un Conservatorio, e soprattutto ebbe giudizi coloriti sulle cantanti del Parco, che fecero dimenticare a Corradino di odiarlo. Venne Cate a cercarli.

Alla presenza di lei, Corradino gli chiese scherzando come cantasse insomma Cate. Pippo stette al suo tono e rispose che le tavole del Varietà avevano già sentito di peggio. Cate lo guardò tra provocante e imbronciata e disse che non tutti potevano avere le doti della Naldina. Pippo sorrise; sorrise anche Corradino e stava per dire: «Non s'è vista stasera?», quando Pippo osservò con calma: – Trista cosa una figliola come quella.

Con Cate – era evidente – s'erano rappacificati, se pure avevano mai litigato. Corradino si chiedeva se il pianista sapeva di Dino e che cosa ne pensasse.

In una pausa del discorso disse di punto in bianco che fra due giorni aveva le ferie e sarebbe partito. – Vado in campagna.

Cate disse: – Peccato, – sotto gli occhi di Pippo. – Ma prima vedrò di parlare alla Radio, – aggiunse Corradino.

Chiacchierarono della campagna e Cate disse con semplicità che quell'anno le dispiaceva di non poterci portare Dino.

– Fai male, – interruppe Pippo, – non piú tardi di ieri quel ragazzo mi disse che si secca e tanto varrebbe andare a scuola. Sono ragazzi...

Nella fitta di gelosia che lo morse, a Corradino salirono lacrime agli occhi. Per un istante, annebbiato, non sentí le parole dei due e non le ricorda. Quando si fu ricomposto, stavano andando – con lui – verso il tavolino. Allora approfittò che il pianista si distrasse a parlare con un tale, e afferrando Cate per la mano le bisbigliò a denti stretti: – Dopo domani parto. Voglio parlarti. Domani mattina ti aspetto da me –. Cate sbalordita lo guardò appena, e chinò il capo. – Telefona almeno, – balbettò ancora Corradino.

Ma Cate l'indomani non venne da lui. Corradino soffrí d'orgoglio, di gelosia, di umiltà; trovò appena un sollievo nel pensiero che ciò che soffriva era un'ingiustizia, e si disse e ripeté che non la meritava. Persino l'assenza d'amore e anzi l'astio che provava per Cate, gli parevano un sacrificio che faceva al ragazzo. Fu in questo stato che telefonò a un conoscente raccomandandogli quel Pippo – persona seria e capace. Si sentí generoso.

Quasi a ricompensarlo, Cate nel pomeriggio telefonò in ufficio. Gli disse che aveva avuto da fare, ma manteneva la promessa di salutarlo. Non veniva stasera al Parco?

Corradino addolcí la voce e rispose che aveva parlato di Pippo alla Radio. Cate tacque un istante. – Pronto, – disse Corradino. – Cosa c'è? – Ma la voce di Cate riprese subito gaia e ringraziò a nome di Pippo.

– No, stasera non vengo, – disse allora Corradino. – Tanto che ci sto a fare? – Cate disse qualcosa, ma Corradino continuò: – Quello è il tuo mondo, io non c'entro. Vieni tu questa sera da me.

– Non posso, Corrado.

– Sono solo, Cate.

Ne vide gli occhi seri, colpevoli, chini – e la bocca accostata all'apparecchio come a fargli un bacio o un bisbiglio.

– Verrò domani, – disse Cate. – A mezzogiorno.

S'incontrarono in un angolo e Corradino capí subito che non sarebbe salita. Aveva un'aria da faccende e lo portò verso un negozio. Si guardarono di sfuggita, nonostante il saluto cordiale.

Quando le chiese di salire, lei scosse il capo. – Di che cosa hai paura? – sbottò Corradino. – Non sei mica una bimba.

– Se fossi una bimba verrei, – disse Cate.

Allora andarono a sedersi in un caffè e Cate taceva. A Corradino venne in mente Pippo, ma non osò cominciare. Si guardò negli specchi, e vide una nuca energica, abbronzata che non gli parve neanche sua. «Nessuno direbbe che noi due abbiamo un figlio», pensò nel bianco dell'occhio. Cate s'era scoperta, rigettando indietro i capelli, e adesso lo fissava, con le ciocche castane sugli occhi. Sapeva di essere provocante in quella posa? Sembrava piú giovane, e fissandolo ansava.

«Mi guarda per l'ultima volta, – pensò Corradino. – Facciamo la scena».

Quando Cate finalmente si riscosse e sorrise corrugando la bocca, Corradino disse: – Piú ci penso e meno ti conosco. Non sei piú tu.

Allora parlarono. Cate disse che era vecchia, ecco tutto; e Corradino non protestò, disse soltanto ch'era vecchio anche lui. – Siamo quasi alle nozze d'argento, – osservò Cate e sorrise.

Scherzarono un poco, e le chiese dove avrebbe cantato quell'inverno. Cate disse che non sapeva, che per adesso c'era tempo.

– Dino avrà presto un papà, non è vero? – osservò Corradino con aria noncurante, ma Cate non si confuse; lasciò che dicesse, continuando a fissarlo stavolta con durezza.

– Ce l'ha già, – mormorò.

– Ce l'ha ma non lo vede, – ribatté Corradino.

Cate tacque impassibile. Allora Corradino le disse che voleva sposarla. Glielo disse tranquillo come chi parla di un altro, e quand'ebbe finito si trovò commosso, sudato, sconvolto.

Ma Cate aveva già risposto, con un cenno e un sorriso impassibile. Tacquero un lungo istante.

– Vedi, – disse Cate con la voce calma, – devi capire che non sono piú la stessa e che tu invece non sei cambiato. Per me è passato troppo tempo. Tu non credi che Dino sia tuo figlio e hai ragione. Sono stata una stupida a parlare quel giorno.

– E se invece ci credessi? – disse Corradino.

Cate ascoltò quelle parole come se le vedesse.

– Se ci credessi? – ripeté Corradino.

– Non è questo, – disse Cate girando gli occhi e tornando a fissarlo. – Noi facciamo una vita diversa. Non sapremmo neanche di che parlare. Non saresti contento.

– Sei tu che non saresti contenta.

– Corrado, – disse Cate, – andiamo a casa? È la mezza, passata.

E cosí uscirono, e Corradino l'accompagnò fino al portone di casa, sfiorandole il gomito, scambiando lato quando cambiavano marciapiede, dicendosi cose inutili e cortesi. In un momento che Cate fece una smorfia, notò con piacere che aveva insomma un sorriso volgare.

— Non sei mica una donna, — le disse.

— Cosa sono?

— Sei tu, — brontolò Corradino.

Quando l'ebbe salutata — e fu un saluto senza cerimonie, quasi senz'imbarazzo — Corradino attraversò il giardinetto senza fermarsi. Soltanto quand'ebbe svoltato accese una sigaretta. L'accese cercando di ricordarsi se nel caffè aveva fumato, ma non ci riuscí.

*Il fuggiasco* (1944) di Cesare Pavese, in *Racconti*, Einaudi
1953.

Sui fienili e nelle stalle da un pezzo non volevano piú nessuno, perché poi succedeva che venivano gli altri a far rappresaglia. Davano un piatto di minestra e del pane solo a chiederlo, ma dicevano di andarselo a mangiare lontano; ci voleva un discorso ben grosso per trattenerli sulla porta. Ogni tanto pioveva e bisognava ripararsi sotto i ponti. Quando trovai quella cappella abbandonata non dissi niente a nessuno e, ficcata della foglia nel sacco, mi ci misi a dormire. Di scappare e ascoltare ne avevo abbastanza.

Mi svegliai ch'era ancor notte piú che giorno e dalla fine-stretta non entrava tanta luce da vederla. S'era rimesso a piovere forte, e qualche spruzzo m'arrivava in faccia. Stavo disteso dentro il sacco e mi godevo il tepore. Non lontano, un cane abbaiava e lo immaginavo randagio sotto l'acqua e dolorante di fame. In quel buio invernale sembrava la voce di tutta la terra. Nel dormiveglia sussultavo.

La pioggia all'alba si schiarí e mi vidi intorno delle vigne vendemmiate. Tutto era fango e foglie rosse. Della cappella restava ancora un vetro rosa screpolato e da quel vetro si vedeva la campagna. Nella buona stagione dovevano starci per guardia dell'uva.

Qualunque cosa succedesse, era un posto fuorimano. Passai la giornata in paese. Era domenica e giocavano alle bocce. Io me ne stetti contro il muro a guardare le facce e conoscerli; li ascoltavo scherzare e gridare. Di lassú s'intravedeva nella nebbia tutta la vallata e la strada grande e le colline in faccia che calavano a Po. Un paese di quella valle era stato bruciato, e della gente uccisa. I piú dicevano per dire, ma un piccolotto che ascoltava disse subito: – Per passare è meglio di là; dove han bruciato non c'è piú sorveglianza.

Col buio tornai nella cappella e, inquieto com'ero, avrei voluto che piovesse. S'era invece levato un gran vento che sbatteva le stelle e rifaceva quella notte ch'ero uscito sulle colline. Nel vento tutto era nitido e nero e si sentivano le foglie rotolare. Dormii appena.

Il vento durò qualche giorno. C'era di buono che asciugava la campagna. Non sapevo risolvermi a lasciare il paese. Quell'ultima barriera di colline mi faceva paura.

Mi ritrovai col piccolotto delle bocce. Parlava poco ma capiva al volo. Mi aveva condotto nel suo cortile, dietro casa, e qui d'accordo con le donne portato un piatto di minestra. Poi a queste avevo dovuto raccontare delle storie, perché volevano sapere quando la guerra finiva. – Durasse anche un secolo, – dicevo, – chi sta meglio di voi? – C'era ancora sotto il portico la chiazza di sangue dove avevano ucciso il maiale. – Vedete com'è, – disse il mio giovanotto, – questa fine la dobbiamo far tutti.

Piú tardi, in cortile, gli avevo chiesto se non si vergognava di parlare soltanto. Lui mi aveva guardato ridendo e fatto un cenno alla casa e alla finestra illuminata.

– Avevo anch'io una casa, – gli dissi.

A lui lasciai vedere dove dormivo la notte. Mi accompagnò ch'era già buio e mi disse che, se bastasse dormire in chiesa per stare al sicuro, le chiese sarebbero piene. – Qui non è piú una chiesa, – dissi, – sull'altare ci han pestato le noci e acceso il fuoco per terra.

– Ci venivamo da ragazzi a giocare, – mi disse.

Poi mi disse com'era in paese e che tutti vivevano nella paura che sullo stradale toccasse una fucilata a un soldato o fermassero un camion. – A O... hanno incendiato anche la chiesa, – dissi.

– Bruciassero queste soltanto, – disse lui, – sarebbe una cosa.

Ma di tutte le chiese che avevo veduto, la mia cappelletta era la piú sicura. Raccogliemmo tutti i rami che trovammo, e coi cartocci della meliga buttati accendemmo un po' di fuoco nel cantuccio sotto la finestra. Poi seduti davanti alla fiamma fumammo nella pipa, come fanno i ragazzi. Dicevamo scherzando: – Per dar fuoco, sappiamo anche noi –. In principio non ero tranquillo, e uscii fuori a studiare la finestra, ma il riflesso era poco e, di piú, parato da un rialto. – Non si vede, no, no, – disse Otino.

Allora parlammo un'altra volta delle facce del paese e di quelli che avevano paura piú di noi. – Anche loro non vivono piú. Non è vivere. Lo sanno che verrà il momento.

– Siamo tutti in trincea.

Otino rideva. Lontano scoppiò una fucilata.
– Incominciano, – dissi.

Tendemmo l'orecchio. Ora il vento taceva e i cani abbaiavano. – Andate a casa, – dissi.

Spensi subito il fuoco. Passai la notte nel puzzo di fumo,
tremando ai pensieri. Mi pareva, rivoltandomi nel sacco, che
il suo scroscio riempisse la notte.

L'indomani studiai risoluto la barriera di colline che mi
attendeva. Erano brune e disseccate dal vento e dalla stagione, limpide sotto il cielo. Il pericolo non era lassú, ma di là,
sulle strade d'accesso ai ponti e alla piana. Nessuno sapeva
dirmi la libertà di quelle strade. I nostri che battevano i
boschi avevan certo provocato una cintura di terrore agli
sbocchi. Era prudente abbandonare la cappella per cacciarsi laggiú?

Salii la stradicciuola a comprare del pane in paese. La
gente mi guardava dagli usci, sospettosa e curiosa. A qualcuno facevo un cenno di saluto. Dalla piazza in alto, si vedevano altre colline quasi azzurre. Mi fermai contro la chiesa, sotto il sole. Nel tepore e nel silenzio ebbi un'idea di speranza. Mi parve impossibile tutto quel che accadeva. La vita
avrebbe un giorno ripreso, sicura e ferma com'era in quest'attimo. Da troppo tempo l'avevo dimenticato. Il sangue
e il saccheggio non potevano durare per sempre. Stetti un
pezzo con le spalle alla chiesa.

Ne uscí una ragazza. Si guardò intorno e discese la strada. Per un istante entrò anche lei nella speranza. Scendeva
guardinga sui ciottoli scabri. Ma fece la donna e non si volse
a guardarmi.

Sulla piazzetta non vedevo anima viva e i tetti bruni ammonticchiati, che fino a ieri m'eran parsi un nascondiglio sicuro, adesso mi parvero tane da cui si fa uscire la preda col
fuoco. Il problema era soltanto resistere alla fiamma finché
un giorno fosse spenta. Bisognava resistere, per ritrovare un
giorno la speranza intatta.

La sera vennero voci di un'azione nella vallata accanto,
contro un paese che non aveva mai avuto un solo guaio. Cosí giuravano. Difatti non s'era sentita nemmeno una fucilata: le stalle erano state saccheggiate e dei fienili incendiati. La gente, fuggita nei boschi, sentiva i suoi vitelli muggire e non poteva accorrere. Era stato sul tardo mattino,
proprio nell'ora ch'io guardavo dalla chiesa.

Andai a cercare Otino nel campo. Fermò uno dei buoi per

la coda, e mi disse: – Stanno freschi. Sono giornate che passano presto. Viene il maltempo e chi è piú capace a lavorare.

Gli dissi che poteva toccare anche a lui.

– Ma è per questo, – mi disse, – che diamo dentro a finire. Poi si sta chiusi fino a marzo.

. . . . . . . . . . . . . . . . . . . .

. . . . . . . . . . . . . . . . . . . .

Non ero stato il solo quel giorno a osservare le montagne che parevano nuvole. La padrona di Otino era uscita fra i pini e s'era fermata un momento a guardarle. Poi rientrando aveva appeso il secchio d'acqua in cucina e messo il latte al fuoco per il piccolo Guido. Da un pezzo era passato Otino coi buoi ma Guido dormiva e non era salito sul carro. La donna s'era fatta alla finestra e aveva chiesto a Otino se ero sempre in paese.

– Dorme sempre a San Grato? e chi è? – Allora Otino aveva detto che con me si poteva parlare ma che chiedere a uno «chi sei?» non si può. – Dalla montagna? forse viene di lassú? – gli aveva detto la padrona.

– Gli scarponi li ha, – disse Otino.

Nel pomeriggio erano andati con le sorelle di Otino a raccogliere le ultime mele. Guido corse avanti col cesto, e un grosso nugolo di storni s'era levato dai filari. Fecero un rombo come fosse un motore. Guido si chinò e ai fuggiaschi tirò una manciata di sassi, strepitando a mitragliatrice: – Tatatà, tatatà.

– Fatti furbo, – gli disse la donna, – sei vecchio quest'anno.

Le ragazze ridevano. – Siete vecchie voialtre, – disse Guido. – E vi piace ballare. Volete che la guerra finisca per tornare a ballare.

– Tu non vuoi che finisca? – disse una.

– Non può finire, – disse Guido, – quando la guerra è dappertutto come adesso, non può finire mai piú.

La padrona disse: – Raccogliamo queste mele.

Dalla vigna Guido aveva fatto una corsa al campo di Otino e rotolando in mezzo ai solchi chiamò se c'ero anch'io.

– Chi? – gridò Otino.

– Quell'uomo che dorme a San Grato. San Grato!

– È andato via. Via! – rispose Otino, senza fermare l'aratro.

– Dovevi dirgli di venire a casa nostra.

– Perché? – gridò Otino, ridendo.

– Perché le donne sono vecchie. Vecchie!

Poi Guido corse fino ai piedi della costa, scese ancora, arrivò tanto in basso nel campo, che invece di vedere le colline a strapiombo le travedeva lontane, fra gli steli del canneto.

Qui si nascose nelle canne, e pensò che cominciasse un'azione, e si tastava le mele nella camicia, indeciso se farne pallottole o pane. Poi le morse e scagliava i torsoli agli uccelli. Cercò piú volte col tiro di passar sopra alla cappella di San Grato, per non farsi un nemico di chi ci dormiva, e s'accostò alla cappella strisciando per terra. A quell'ora io scendevo dalla collina del bosco, dove salivo per dominare la valle.

Lassú era pieno di nascondigli e di valloni, di stradette perdute nella macchia, di salti improvvisi nel vuoto. Avevo visto di lassú nel campo bruno i buoi d'Otino che sembravano fermi. Nell'aria fresca si sentivano le voci suonare tranquille, e se un urlo, uno sparo, avesse rotto quella calma i buoi laggiú non si sarebbero mossi. Quella sera ero contento; dovevo mangiare una minestra nel cortile di Otino, poi tornarmene solo nella vecchia cappella e star nascosto. Pensavo che, se nessun armato sarebbe mai salito per quelle strade, il mio rifugio era come un gioco, come un'insolita villeggiatura di convento. In alto, sulla collina, avevo ritrovato quella speranza, quella libertà, e capivo che per viverla bastava pensarla reale. Qui non c'erano le case, le soffitte e le piazze dove il pericolo guatava all'angolo. Qui nessuno mi aspettava a un appuntamento mortale. Qui non c'era che terra e colline e bastava appiattirsi alla terra per vivere ancora.

. . . . . . . . . . . . . . . . . . . . . . . . . . .
. . . . . . . . . . . . . . . . . . . . . . . . . . .

*Cronologia della vita e delle opere*

1908    9 settembre: nasce a Santo Stefano Belbo (Cuneo) da Eugenio, cancelliere di tribunale, e Consolina Mesturini.

1914    Prima elementare a Santo Stefano.

1915-26    Studia a Torino: elementari (istituto Trombetta); ginnasio inferiore (istituto Sociale); ginnasio superiore (Cavour); liceo (Massimo d'Azeglio). Il professore d'italiano e latino è Augusto Monti, gli amici Enzo Monferrini, Tullio Pinelli, Mario Sturani, Giuseppe Vaudagna.

1926-29    Facoltà di Lettere e Filosofia: studia con passione le letterature classiche e quella inglese. Frequenta altri amici, sempre del clan (o «Confraternita») Monti: Norberto Bobbio, Leone Ginzburg, Massimo Mila. Si apre alla letteratura americana, vagheggiando, senza ottenerla, una borsa alla Columbia University. Altri compagni via via lo affiancano: Franco Antonicelli, Giulio Carlo Argan, Vittorio Foa, Ludovico Geymonat, Giulio Einaudi.

1930    Si laurea su Walt Whitman con Ferdinando Neri. Non riesce a essere accolto come assistente all'Università. Ottiene alcune supplenze fuori Torino, avvia i primi rapporti editoriali come traduttore dall'inglese (*Il nostro signor Wrenn* di Sinclair Lewis, premio Nobel dell'anno, per Bemporad), scrive racconti e poesie. Novembre: gli muore la madre Consolina (il padre è scomparso nel 1914).

1931    Ancora supplenze, ancora saggi, poesie e racconti, ancora traduzioni. Gennaio: Federico Gentile, per la Treves-Treccani-Tumminelli, gli commissiona la tra-

duzione di *Moby Dick* di Herman Melville, che uscirà
nel '32 da un nuovo editore, il torinese Carlo Frassinelli. Febbraio: raccoglie in una silloge manoscritta
dal titolo *Ciau Masino* i venti racconti che è venuto
scrivendo dall'ottobre '31 sino ad allora (il libro
uscirà postumo soltanto nel 1968). Ha preso a pub-
blicare sulla «Cultura» saggi su scrittori americani
(dopo S. Lewis nel 1930, escono due suoi studi su S.
Anderson e E. L. Masters).

1933    Escono sulla «Cultura» tre suoi saggi su J. Dos Passos, T. Dreiser e W. Whitman. Si iscrive al Partito
Nazionale Fascista: ottiene cosí la prima supplenza
nel «suo» d'Azeglio. Novembre: Giulio Einaudi
iscrive la sua casa editrice alla Camera di Commercio.

1934    Frassinelli pubblica la sua traduzione di *Dedalus* di
Joyce. Invia le poesie, raccolte sotto il titolo *Lavorare stanca*, per il tramite di Leone Ginzburg, ad Al-
berto Carocci, che le pubblicherà nel 1936 presso Parenti, a Firenze, nelle Edizioni di Solaria (la seconda,
nuova edizione uscirà presso Einaudi nel 1943).
Maggio: sostituisce Leone Ginzburg, arrestato per
attività sovversiva, alla direzione della «Cultura» sino al gennaio 1935.

1935    Mondadori pubblica le sue traduzioni di due roman-
zi di Dos Passos, *Il 42° parallelo* e *Un mucchio di
quattrini*. Relazione con Battistina Pizzardo (Tina),
insegnante, comunista. Maggio: la redazione della
«Cultura» è tratta in arresto alle Carceri Nuove di
Torino. Giugno: è tradotto a Regina Coeli, a Roma.
Luglio: gli viene comminato il confino, per tre anni,
a Brancaleone Calabro, sullo Ionio, e vi giunge il 3
agosto.

1936    Marzo: gli viene concesso il condono del confino e il
19 è a Torino, dove apprende che Tina si è fidanza-
ta con un altro e s'appresta al matrimonio. La crisi è
per lui molto violenta.

1937    La ripresa della collaborazione con Einaudi gli ridà
qualche energia e speranza. Lavora altresí per Mondadori (traduzione di *Un mucchio di quattrini* di John
Dos Passos) e per Bompiani (*Uomini e topi* di John

Steinbeck). Scrive molti racconti e liriche, le cosiddette «Poesie del disamore».

1938 Finisce di tradurre per Einaudi *Fortune e sfortune della famosa Moll Flanders* di Daniel Defoe e *Autobiografia di Alice Toklas* di Gertrude Stein, editi nell'anno. Il 1° maggio è «asservito completamente alla casa editrice», cioè finalmente assunto: deve tradurre (sino a) 2000 pagine, rivedere traduzioni altrui, esaminare opere inedite, e svolgere lavori vari in redazione. Scrive diversi racconti.

1939 Conclude per Einaudi la traduzione di *Davide Copperfield* di Dickens, pubblicato nel corso dell'anno. Aprile: termina la stesura del romanzo *Memorie di due stagioni* (nel 1948, *Il carcere*, nel volume *Prima che il gallo canti*). Giugno-agosto: scrive il romanzo *Paesi tuoi*.

1940 Per Einaudi, nei radi intervalli che il lavoro editoriale gli concede (è ritenuto dai colleghi un redattore infaticabile), traduce *Benito Cereno* di Melville e *Tre esistenze* della Stein. Marzo-maggio: stesura del romanzo *La tenda* (nel 1949, *La bella estate*). Reincontra una ex allieva, Fernanda Pivano.

1941 Esce a puntate su «Lettere d'Oggi» il romanzo breve *La spiaggia*, la cui stesura è compresa tra il novembre precedente e il gennaio di quest'anno: il libro vedrà la luce presso la stessa sigla nel 1942. Maggio: esce *Paesi tuoi*, che segna la sua consacrazione come narratore.

1942-44 Il ruolo di Pavese nella Einaudi aumenta giorno dopo giorno. Senza essere formalmente il direttore editoriale (carica che Giulio Einaudi gli riconoscerà solo a guerra finita), lo è di fatto. Nella primavera 1943 è a Roma, a lavorare nella filiale con Mario Alicata, Antonio Giolitti e Carlo Muscetta. L'8 settembre 1943 la casa editrice Einaudi è posta sotto la tutela di un commissario. Pavese si trasferisce a Serralunga di Crea. A dicembre dà ripetizioni nel collegio dei Padri Somaschi a Trevisio, presso Casale Monferrato, dove, sotto falso nome (Carlo de Ambrogio), si trattiene sino al 25 aprile 1945.

1945    Dopo la Liberazione, viene riaperta la sede torinese
        dell'Einaudi, ora in corso Galileo Ferraris. Pavese è
        ormai il factotum della casa editrice e riprende, uno
        a uno, i contatti con i collaboratori, interrotti duran-
        te i venti mesi dell'occupazione tedesca. Nell'agosto
        si trasferisce a Roma e coordina anche la sede di via
        Uffici del Vicario 49.

1946    Intenso lavoro a Roma, avvio di nuove collane e ini-
        ziative (Santorre Debenedetti e i classici italiani,
        Franco Venturi e le scienze storiche, De Martino e
        l'etnologia). Agosto: rientro a Torino. Novembre:
        esce *Feria d'agosto*.

1947    Escono, nel corso dell'anno, *Dialoghi con Leucò* (la
        cui stesura è compresa tra il dicembre '45 e la prima-
        vera '47) e *Il compagno*, nonché la traduzione di *Ca-
        pitano Smith* di Robert Henriques e l'introduzione a
        *La linea d'ombra* di Conrad.

1948    Esordio della «Collezione di studi religiosi, etnologi-
        ci, e psicologici», codiretta con Ernesto De Martino.
        Giugno-ottobre: stesura de *Il diavolo sulle colline*.

1949    Marzo-maggio: stesura del romanzo breve *Tra donne
        sole*. Novembre: esce *La bella estate*, che comprende
        il racconto omonimo, *Il diavolo sulle colline*, *Tra don-
        ne sole*. Settembre-novembre: stesura de *La luna e i
        falò*.

1950    Aprile: esce *La luna e i falò*. Una nuova crisi senti-
        mentale (l'attrice americana Constance Dowling, per
        la quale ha scritto molti soggetti), intensa produzio-
        ne poetica. Giugno: riceve il premio Strega per *La
        bella estate*. Agosto: la notte del 26 si uccide nell'al-
        bergo Roma di Torino.

*Indice*

*Stampato per conto della Casa editrice Einaudi
presso Milanostampa s.p.a., Farigliano (Cuneo)*

C.L. 11829

| Edizione | | | | | | | | Anno | | | |
|---|---|---|---|---|---|---|---|---|---|---|---|
| 13 | 14 | 15 | 16 | 17 | 18 | 19 | | 1999 | 2000 | 2001 | 2002 |

# Einaudi Tascabili

Ultimi volumi pubblicati: